괴물 공작가의 계약 공녀

③

웹툰 민작 · 원작 리아란

2
괴물 공작가의
계약 공녀
웹툰 민작 · 원작 리아란

Contents

Chapter 25

부르셨어요, 어머니?
그래, 레슬리 양은 좀 어떻지?

※ 레슬리는 옆방에서 기다리는 중.

으음…
똑똑해요, 천재라고 봐도 괜찮을 것 같은데.

천재라 봐도 무방하다?

네, 저 나이에 아카데미 고학년 수준이니까요!
신어도 고어도 잘 해독하고, 신학은 부족하지만 조금만 가르치면 금방 이해할 거예요.
그러니, '이론적인 부분'에서는 천재가 맞아요!

하지만
이론적인 것을 제외하면
아는 것이 부족하고
예의범절에 대해
이상하게 배웠더군요.

앞으로 잘 부탁
드리겠습니다
꾸벅
움찔
하녀나
할 법한 행동들을
몸에 익혔어요.

처럼
남들은 아는 걸 몰라요.

그리고 무엇보다
자존감이 부족해요.
오래 억압받아 온 게
눈에 보이더군요.

정말 그 아이가 스스로 후작저를 나와 어머니께 거래를 요청한 게 맞나요?
그래, 믿기지 않지?

아주 당돌했지.

너도 레슬리 양이 마음에 들지 않았니?
휙
뭐… 조금은요.

마음에 들었겠지. 나히로키아를 좋아하는 것 같았거든.
잠깐, 그걸 알고 계셨어요?
후작가에 갔을 때 엘리 데아른 양이 안내를 해줬지.

그때 서재를 둘러볼 수 있었단다.

넓고 화려하지만 책을 읽은 흔적 따윈 보이지 않던 곳,

마치 보여주기 위해 만든 서재 모형 같은 곳에서…

유일하게 손때 묻은, 소중히 숨겨진 나히로키아의 책을 발견했다.

후작가에서 그런 책을 여러 번 읽을 만한 사람은 한 명뿐이지…

알고 계셨으면 언질을 주시지…!

끄응

미리 얘기하는 것보다 숨기면 더 즐거운 것들이 있지 않니?

후후

11

예절을 가르칠
사람이 필요해요.
시녀나 할 법한 행동이 아니라
진짜 귀족의 예절과 행동을
가르칠 사람으로요.

좀 더 잘 먹이고
체력도 키워놔야겠어요.
팔이며 다리며 넘어지면
부러질 것같이
생겼잖아요.

그리고…

레슬리에게 콘라드를 붙여주고 싶어요.
아이테라 공자?

사실 아까 어둠의 힘을 봤어요, 엄청나더군요.
어머니가 왜 관심을 가지셨는지 바로 이해가 됐어요.
그런데 어머니,
그런 힘이 폭주할지도 모른다면 어떻게 하시겠어요?

강력한 힘이지만
주인이 너무
약하고 여려.

혹시 모를 상황에
대비해야 해요…
레슬리 본인이
위험할지도 모르니까.

그리고 '그 일'을 위해서
성기사인 콘라드와 미리
친분을 쌓아두는 것도
나쁘지 않겠죠.

그래,
그렇겠구나…

신력은 상처를
치료할 뿐만 아니라,
다른 힘을 진정시킬
수도 있으니까.

톡

톡

저나 어머니의 마력으론
할 수 없는 일이죠,
외려 반발만 살 테고.

으쓱

거기다 레슬리가 가진
힘의 크기로 봤을 때
콘라드 정도의 신력이 아니면
진정시키기 어려울 거예요.

일단 신학과 예절을 제외한 과목은 루엔티 네가 가르치렴.
그 편이 너에게도 레슬리 양에게도 편하겠지.
네, 어머니.

예절을 가르칠 사람을 불러야겠구나…
거기에 간단한 검술은 내가 가르치도록 하고, 내가 바쁠 때는 하르트에게 맡겨야겠어.
신학은 어떻게 할까요?

신학을 아이테라 공자에게 맡기자꾸나.
사제를 신학 선생으로 부르는 일은 흔하니까.

과연 콘라드가
한다고 할까요?

아이테라
공작가 쪽에서
거절할 이유도
없으니까.

아니, 오히려
반갑게 여길지도?
지금 내가 하는 행동들이
이해가 가지 않을 테니까.

…솔직히
불안하긴 하지만
어머니가 그렇다고 하니
저는 믿을게요.

그럼 그렇게 알고
움직여 주렴.

아, 가는 길에
레슬리 양에게
들어오라고
전해 주겠니?

끼익

저를 부르셨다고
들었어요.

긴 이야기가
될 것 같은데 앉으렴.

차를 마시겠니?
아니면 코코아가
좋으려나?

…코코아요.

스페라도 후작이
내게 재판을 걸
모양이더구나.

!

왜, 왜 스페라도 후작이
공작님에게 재판을
건다고 하는 건가요?

벌을
받아야 하는 쪽은
스페라도 후작인데!

꾸욱

글쎄? 자신의 딸을 내가 납치, 감금하고 있다고 하더구나.
…그런!
자신은 딸을 구하기 위해 공작저에 왔지만 팔이 부러지는 엄청난 중상을 입었다고 소문 냈더구나.

스페라도 고유의 힘인 어둠에 대해 알아내려고 너를 인질로 잡고 자신을 협박했다고.
아픈 너에게 약도 주지 않고 심지어 굶기기까지 하며 너를 괴롭히고 있다고.
벌떡
거짓말이에요!

저를 죽이려고 한 사람은
스페라도 후작이고
그런 저를 보호해 준 분은
공작님이에요!
공작님은 저를
아프게 한 적이
없다고요!
후두둑
거기다
엄청난 중상이라니,
나한테는…

네가 그 불길 속에
한번 들어갔다 왔다고
태도가 건방져졌구나!
다시 매를 맞아야
정신을 차릴 참이냐?

자기 아픔만…
크게 생각하고 있어.

…공작님,
부탁이 있어요.

말해 보렴.

저를 재판장에
증인으로 데려가 주세요.

제가 가서
스페라도 후작가가 그동안
저에게 어떤 짓을 했는지
전부 말하겠어요!

좋은 생각이구나.

하지만 아무도
네 말을 믿지 않겠지.
다들 네 말보단
스페라도 후작의 말을
믿을지도 몰라.

달칵

제가 그 괴롭힘을
당한 장본인인데
왜 스페라도 후작의 말을
믿겠어요?!

너를 부족한 아이로
만들고 있거든.

어릴 때부터
몸이 약해
상상 속에서
사는 아이로.

혹여라도
네 말을 믿을까
미리 그런 소문을
퍼트려 놨더구나.

'모든 아이는 보호자의 밑에 있어야 한다.' 이 법을 알고 있지?

설사 스페라도 후작이 네게 한 학대를 인정하더라도 그 법에 따르면 너는 스페라도 후작가로 돌아가야 한단다.

명실상부하게 스페라도 후작이 네 친부모니까.

뭐, 그리고 한참 후에야 의회에서는 너를 맡아줄 다른 보호자를 찾겠지.

털썩

저는…
그 집으로 돌아가고 싶지 않아요.
덜
덜
그 끔찍한 곳에서 단 며칠, 아니 몇 시간이라도 내가 무사히 있을 수 있을까?
만약 돌아가게 된다면 스페라도 후작이 대체 무슨 짓을 저지를지…
덜 덜
덜
그렇게 되면 나는… 내 힘으로 무슨 짓을 저지를지 모르겠어.
사락
괜찮아.

나는 너에게
우리 셀바토르의 성을
주기로 약속했지.

그런 내가
스페라도 후작가에서
널 끌고 가려는 걸
그냥 보고만 있을까?

…아니요.

드리

드리

너는 아무런 걱정 없이,
그저 이곳에서 잘 자랄
생각만 하면 된단다.

당분간 네가 해야 할
가장 큰 걱정은
새로 꾸며질 네 방에
어떤 침대와 가구를
넣을지야.

새 방이요??

사이가… 아, 사이레인, 내 남편 말이다.

사이는 늘 딸을 원했거든. 그래서 딸이 생기면 저택 한 층을 통째로 딸을 위한 곳으로 꾸밀 거라고 말하고 다녔단다.

저택 한 층…?!

너, 너무 많아요!!

나도 그렇게 생각해서 일단 가볍게 방 네 개 정도만 줄 생각이야.

히끅!

네가 지금 걱정해야 할 건 그런 것들이지, 방은 어디가 좋은지, 가구들은 어떤 게 좋은지.

또 내일 아침에는 코코아에 어떤 쿠키를 올릴지 말이야.
다, 다음에는 그냥 마실 거예요.
그래? 아쉬워라.

저, 공작님… 그럼 정말 제가 도와드릴 일은 없나요?

뭐든 제가 할 수 있는 게 있다면 알려주세요.
할 수 있는 거라…

…하나 있지.
어쩌면 레슬리 양이 괴로울 수도 있겠지만…
끄덕

트라 베쉬
스페라도 후작이
왜 너를 죽이려고
했는지,

그리고 그게 여태껏
스페라도 후작가의
둘째와 셋째들이 유달리
일찍 죽은 이유와
연관이 있는지,

네가 아는 걸
전부 말해 줄 수
있겠니?

…저는

제물이 되기 위해
태어난 거였어요.

Chapter 26

…그때
이 힘을 얻게
됐어요.

그 아이들이
절 살리고 힘을 준 건
복수 때문일 거예요.

그러니까…
저는 반드시…
그랬구나.

그래서 네가
그리도 간절한 눈을
하고 있던 거였어.
토닥
걱정하지 말렴,
네가 원하는 바를
내가 들어줄 테니까.
…하지만

정말로
그 아이들이
복수를 위해서
널 살린 건지는,
한 번 더 생각해
보자꾸나.

하암~

부비적

…계속
생각해 봤지만

복수가 아니면
뭐란 말이야.

나는 그 불에
아주 잠깐 닿았던
것만으로도 그렇게
아팠는데,
그 아이들은 더
무섭고 괴로웠을 거야.
그러니까…

이번만큼은 공작님이 잘못 생각하신 거야.
아무리 공작님이어도, 어른이어도 실수가 없진 않잖아.

저기 아무것도 없는 곳에서 넘어지는 마델처럼―

마, 마델!!
쿠당탕
깍!
그래, 누구나 다 실수를 하니까….
죄송해요, 아가씨!

안녕히
주무셨어요?

오늘은 푹 잘 것 같더니,
피곤하면 가서
좀 더 자도 괜찮아.
아니에요,
피곤하지 않아요.

둘이
친해진 것 같아
다행이다.
언제 그렇게
친해진 거냐?

어제 우리는
나히로키아에 대해서
깊이 있는 대화를
나눴거든요.
씨익

둘이 친해진 건 좋지만 나보다 빨리 더 친해진 건 맘에 안 드는데.
마침 잘왔어, 레슬리 양. 할 이야기가 있었는데.

네게 예절을 가르칠 가정교사와 신학을 가르칠 분을 구했단다.
벌써…
슈엘라 아폰 틸레이얼 양이 예절을 담당해 주시기로 했지.

틸레이얼 자작 부인이로군. 좋은 사람이지.
아, 사이레인 님이 좋은 사람이라고 하면 무서운 사람은 아니겠다.

다행이야.

그리고 신학은…
아이테라 공자에게
부탁할 참이야.
쿨럭!
여보,
나는 반대야!
빠
직
신학이라면 여성 사제분을
불러 가르치면 되지,
왜 하필 아이테라 공자야!

거기다 그놈은 레슬리 양도 모르잖아, 절대 안 돼!
거기다 가장 중요한 건 레슬리의 생각이지요.

어머니, 아버지 말씀대로 다른 분을 구해 보도록 하죠.
대공자에게 신학 교사를 부탁한다니, 아이테라 대공 쪽에서도 꺼림칙하게 여길 겁니다.
일단 이미 아이테라 공자와 레슬리 양은 서로 아는 사이 아니던가, 베스?

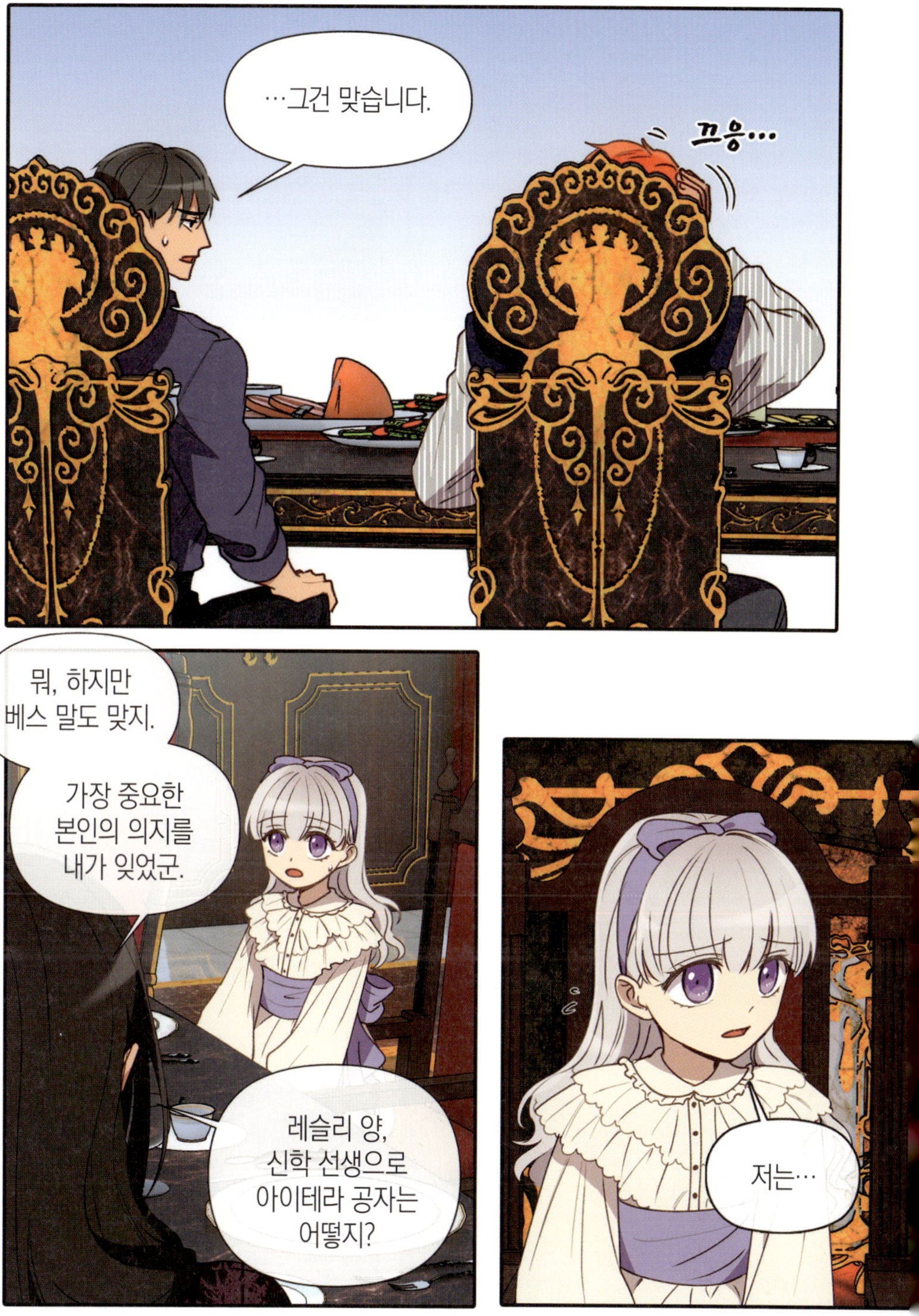

…그건 맞습니다.

끄응…

뭐, 하지만
베스 말도 맞지.

가장 중요한
본인의 의지를
내가 잊었군.

레슬리 양,
신학 선생으로
아이테라 공자는
어떻지?

저는…

…네,
저는 괜찮아요.
아, 아니
레슬리 양!
싫으면—
터
억

가장 중요한
본인의 의사도 됐군.
그 둘에게는 내가
따로 연락을 하지.
우물
…알겠습니다,
어머니.

아, 그리고
나머지 과목은
엔티가 가르쳐
줄 거란다.
힝

루엔티
오라버니가요?
전부 새로운
가정교사가 올 줄
알았는데.

스페라도 가문의
가정교사 같은 사람이
올까 봐 걱정했는데…
다행이다.
?
잠깐!
꿀꺽
루엔티
오라버니라니?
제가 오라버니라고
부르라 했어요.

이제 곧
가족이 될 텐데,
루엔티 님은 좀
서먹해 보이잖아요.
씨익

마치 남 같고.

레슬리 양…
나도…
움찔

'아버지'
…라니.
나는 아직
셀바토르의 성도
받지 못했는데.

흘끔

게다가…
사이레인 님을
아버지라 부르면
공작님도 어머니라
불러야겠지?

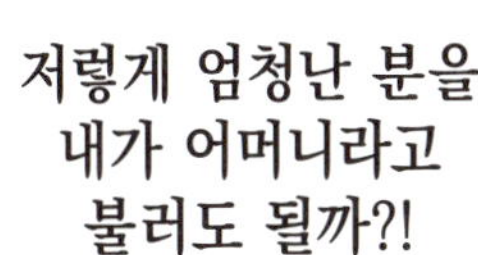
저렇게 엄청난 분을
내가 어머니라고
불러도 될까?!

핑굴
핑굴

잠깐, 아버지,
갑자기 그러면 레슬리가
부담스러울 겁니다.

일단 저와
루엔티부터 부르게 하고,
차차 익숙해지면
호칭을 바꾸게 하죠.

얌마!

괜찮대도.
너는 어차피
우리 공작가의
일원이 될 거잖아?
…
베,  
베스라온
오라버니….

그래,
레슬리.
나, 나도!
벌
떡

딱 한 번만
불러주렴,
레슬리 양.

…
아버지.
파
앗

그래, 그래
레슬리 양….
훌쩍

크흠.

……

꾸욱
어…

어, 어어…

어,
빠앙
어어,
빠앙
어…!

어…
어어…
어…

…

달콤한 것을
좋아하신다 해서
유명한 가게에서
사온 것인데…

혹시 입에 맞지
않으신가요?

그저 입맛이
없을 뿐입니다.

아이테라 공자님께서는
신경 쓰지 않으셔도
괜찮습니다.

…불편해.

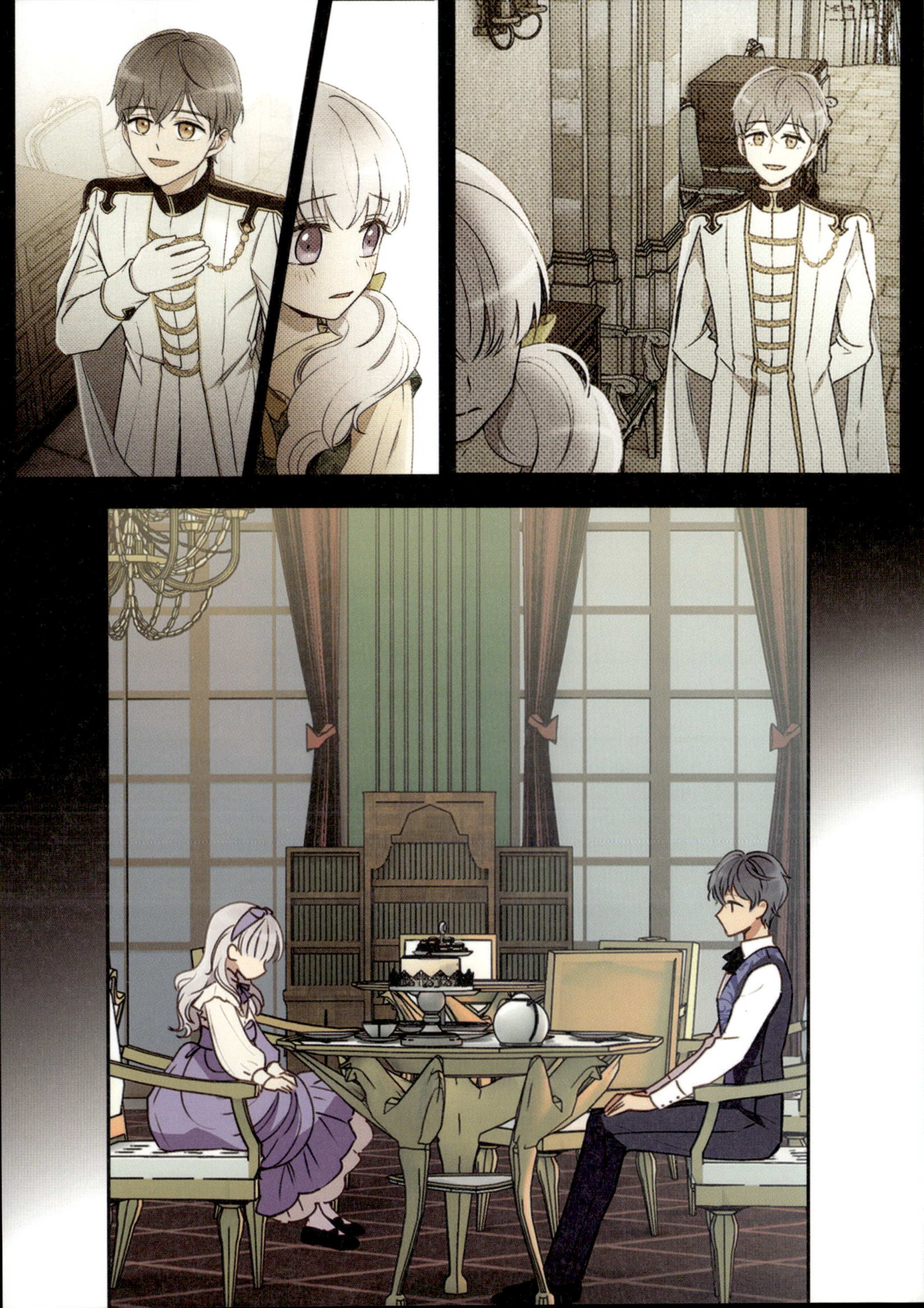

어떻게
대해야 할지
모르겠어…!

Chapter 27

만약 여기서
조금이라도
실수를 하면,

공작님마저
비웃음을
살지 몰라.

이야기를 어서
이어가야 하는데…

달싹

그런데
뭐라고 말을
꺼내야 하지?

너무
긴장하지 않으셔도
괜찮습니다.

오늘은 가벼운 인사 같은 거니까요.

사악

살짝

신학과 신어를 저에게서 배우실 거라 들었습니다.
그렇습니다.

루엔티 마법사님께서,
신어는 이미 아카데미
고학년 수준을 넘으셨다
말씀하시더군요.

천재라고
저에게 얼마나
자랑하시던지.

과, 과찬입니다.

과찬이 아닙니다.
올해 열두 살이
되지 않으셨습니까.

그런데 이미
신학 이론서는
거의 다 읽으셨고.

푹쉬뱠...

신어는 아카데미
고학년 수준에,
고어 역시 자유로이
해석할 수 있으시지요.

거기에
나히로키아의 철학서를
즐겨 읽으셨다고
들었습니다.

공자께서도
나히로키아를
읽으셨나요?

네, 저 역시 나히로키아로 루엔티 마법사님과 친분을 맺었거든요.
루엔티 마법사님은 나히로키아의 열렬한 팬이라 그를 아는 사람에게는 경계를 금방 허무는 버릇이 있어요.

아무래도 나히로키아의 추종자는 찾기가 힘드니까요.

하지만 또 본인은 아닌 척 말을 바꾸시죠, 얼굴에서 이미 다 드러나는데도요.
끄덕
아, 맞아요.

보통은 아벤돈의 이론으로 공부할 텐데 특이하긴 하네.
흠!
후후…

나히로키아를 좋아하신다면 엠메리아의 역사서도 좋아하실 것 같은데 읽어보셨습니까.
아뇨, 읽어본 적 없습니다.
처음 들어봐, 누구지?

신전도 그렇고, 귀족층에서는 엠메리아의 역사서를 많이 읽지 않죠.
왜냐하면, 엠메리아는 평민 출신에다 여성이기도 하거든요.
평민 출신에 여성이라고요??

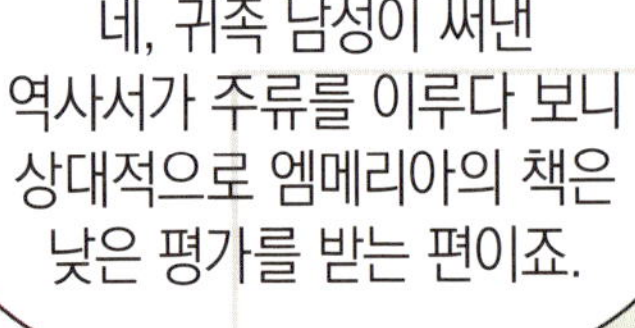

네, 귀족 남성이 써낸 역사서가 주류를 이루다 보니 상대적으로 엠메리아의 책은 낮은 평가를 받는 편이죠.

하지만 저는 즐겁게 읽었습니다.

기웃

역사서가 즐겁다고…?

엠메리아는 평민들 사이에 퍼진 야사를 많이 기록했거든요.

그래서 역사서가 아니라 꼭 이야기집 같지요.

와아.

관심이 있으시면 제가 수업 시간마다 가져와 즐거운 이야기를 하나씩 들려드리겠습니다.

책을 구하기 힘드실…

아,

셀바토르에서는
못 구하는 것이 없으니
이야기를 하면 분명
구해 주시겠군요.

다들 능력도 뛰어나고
좋으신 분들이니까요.

맞아요!

다들 너무 친절하시고,
좋은 분들이에요.

맞습니다, 저도 그런 분들이 왜 괴물이라 불리는지 이해를 할 수가 없어요.
그러니까요!

사이레인 님도 무서워 보이지만 정말 좋으신 분이고,
베스라온 님도 무뚝뚝해 보이지만 진짜 친절하세요!

거기다 루엔티 님은 아는 것도 많으시고,
또 셀바토르 공작님이 얼마나 멋지신데요!
가면을 쓴 것도 정말 멋지세요! 다들 겉모습만 보고 판단하는데…
아…
어느새…
싱긋

…

맛있네요, 한번
드셔보시겠습니까.

폭신

!

맛있어요…

다행입니다.

사실, 레슬리 양이 드시지 않기에 잘못 가져온 건가 내심 걱정이 많았습니다.
레슬리라니…

성을 말해 주지 않으셔서…
아,

……

네,
레슬리 양이라고
불러주세요.

'레슬리 스페라도'라고
말하고 싶지 않아.

'스페라도 영애'라고
불리고 싶지 않아.

그렇다면
부디 저도 콘라드라
불러주세요,
레슬리 양.

콘라드 경,

부탁이
하나 있어요.

앞으로도 수업을
셀바토르 공작저에서
해도 괜찮을까요?

이곳이
불편하시다면
어쩔 수 없지만…
사실은 수업 장소를
바꾸자고 말할
생각이었는데.

아까부터 등 뒤가
따갑다 못해
아플 지경이라….

저는,

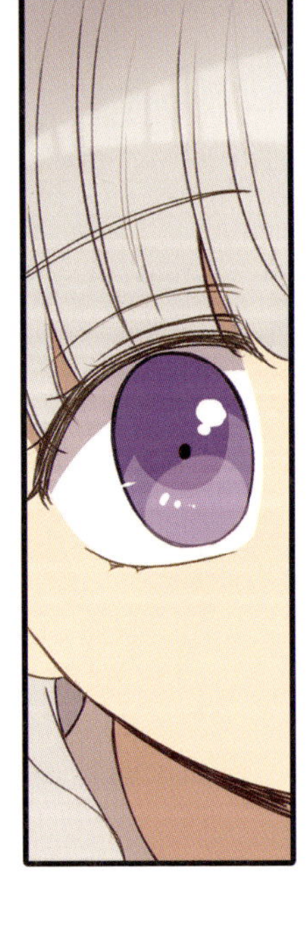

레슬리 양이
원하신다면
기꺼이요.

다녀오셨습니까?

응,
레슬리 양을
만나고 왔어.
소문의 공녀님
말이군요.

어떤
분이셨나요?
레슬리 양?

즐거운 분이었어.
셀바토르 공작가에는
어울리지 않는 분.

작고, 하얗고,
아무것도 해할 수
없을 것 같은 사람.

새까만 맹수들 사이에
토끼 한 마리가
섞여 있으면
딱 그래 보일까.

후후.

좋으신 분
같군요.

맞아.
그런데 무언가
사정이 있는 것
같더라고.

신전,

그것도 귀족들만
드나들 수 있는
서고 쪽 복도에서…

계절에도 맞지 않는
낡은 옷을 입은 채
울고 있었지.

그윈, 엠메리아의
역사서를 구해 주고

차를 진하게 타서
내 방으로 올려줘,
설탕이랑 우유 없이.

네, 알겠습니다.

아, 그리고

달콤한 디저트를
파는 가게 명단을
알아봐 줄래?

디저트 말입니까?

단것은 입에 잘
대지 않는 분이…

응, 될 수 있으면 아주 달콤하게 잘 만드는 가게로.
오늘 추천해 준 곳도 좋았지만, 더 많은 곳을 알아두면 좋을 것 같아서.
빈손으로 남의 집에 가는 건 실례니까.
그리고…

좀 더
친해지고
싶으니까.
처음에는
당황해서
굳고,
두 번째는
부끄러워하며
피하고,
오늘은 옅게나마
웃어주었지.

다음엔
어떤 얼굴을
보여줄까.

Chapter 28

찾았어.
…

역시
여보밖에 없어.
생각보다도 더
빨리 찾았네.
아직도 아침 일로
삐쳐 있는 거야?

내가 잘 설명했잖아,
레슬리 양의 힘은
위험할지도 몰라.
그러니
진정시킬 누군가가
옆에 있어야 한다고.

거기다
날 때부터
타고난 힘이
아니니…
어쩌면 레슬리 양의
몸이 감당하기
더욱 힘들 수 있지.

후…
천 년이나 이어진
산 제물이라니,

대체 누가
괴물인 건지.

그 아이의 증오는
이해가 가지만
너무 얽매이는 건
좋지 않아.
털썩
그래도
마음에 안 들어,
아이테라 공자…
거기다 요즘
아이테라 대공가의
동향도 수상하잖아?

고작
열두 살짜리 아이가
그런 눈빛을
하고 있다니…
마음 같아선 루엔티도
되도록 만나지 말라고
하고 싶을 정도라고.
아이들의 우정을
방해하면 안 되지.

오히려 수상한 걸 감시한다고 생각하면 겸사겸사 좋지 않아?
여보야는 레슬리 양이 걱정도 안 돼? 위험할 수도 있잖아.

글쎄… 그렇게 나약한 아이가 아니라서 걱정되지는 않네.

그리고 미안하지만, 여보야가 좀 더 수고해 줘야겠다.
될 수 있으면 빨리 데려왔으면 해.
이번 재판에서 아주 중요한 사람이니까.

부루퉁
역시
우리 남편밖에
믿을 사람이
없다니까.
고마워, 여보.
씨익
그래도 여보.
슥

나는 레슬리 양이
행복했으면 좋겠어.
그간
아팠던 것보다
훨씬 더 말이야.

…
걱정하지 마.
나도
같은 생각이니까.

스페라도!

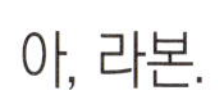

아, 라본.
허, 헉…
오랜만이네! 자네…
요즘 두문불출한다는
소문을 듣고 내가 얼마나
걱정했는지 아는가?

편지에도 도통
답이 없고 말이야.
그래,
팔은 괜찮은가?
꿈틀

괜찮고말고.
내 팔보단 자네 얼굴의
안부를 물어야겠어.
시뻘건 게
곧 터질 것 같군.

이야기는 들었네.

셀바토르 공작이 자네 팔을 부러트렸다면서?
일부러 신력으로 치료하지 못하도록 마법까지 걸어놨다고 들었네.
마력과 신력은 반발하니까 말이야.

덕분에 고생 좀 했겠군.
히죽

이야, 그렇게 보면 셀바토르 공작도 그 나이에 참 대단해! 안 그런가?
자네가 데려간 스페라도 기사들을 전부 때려눕혔다는 말을 들었네.

스페라도의 기사들은 린체 기사단 못지않게 강하다는 이야길 들었는데…
하긴, 소문은 늘 과장되기 마련이지! 그리고 셀바토르 공작이 보통 인물인가!
뿌들
뿌들

…하고 싶은 말이 뭔가?
하고 싶은 말이라니! 당연히 자네가 걱정되어서 하는 소리지.

전혀 나를 걱정하는 것처럼 들리지 않네만.
뭐야, 왜 이리 쪼잔해졌나!
팍!

늘 화통하던 스페라도 후작이 말이야…
하하하!
몸이 건강한 것 같으니 나는 이제 물러남세!
늘 조심하라고, 스페라도!

하하
하하하

저 돼지 새끼가!
파앗

뭔가 얻고 싶을 때만 나타나서 굽신거리기만 하던 자식이!!
감히 날 비웃어?!
퍽
퍽

내가…
이 내가,
겨우 그깟 것들
때문에!!!
아비가 하는 말을
신처럼 떠받들어야
하는 딸이란 것이!!
예전 같았으면,
천한 용병이랑 결혼하면서
지위를 박탈당하고
땅에서 기어야
했을 것이…!

후우,
후…
그래,
고작 여자 따위가
뭘 할 수 있다고.

후우…

그래, 적어도
'아이 보호법'이 있다.

어떻게든 재판까지
끌고 가면 돼!

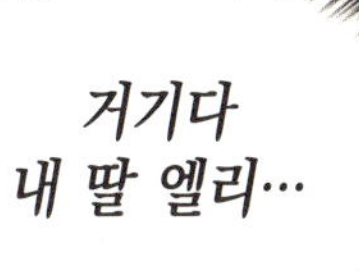

거기다
내 딸 엘리…

엘리가 약혼자인
1황자를 설득해서
재판에 도움을
얻을 수 있겠지.

그리고
지금 만날 사람,
이번 일이 잘되면…
휙
이기는 건 물론,
셀바토르의 명예까지
추락시킬 수 있다.

우선 레슬리 그것은
데려오자마자 제대로
버릇을 고쳐놔야지.

그 책에
나온 대로…

오늘도 …가 난리를…
…제 동생을 불에
넣은 것에 대해
반감을 품는 듯했…

…많은 사람이 죽어,
할 수 없이
'사슬'을 만들었다.

완벽히는 아니지만
어둠을 통제할 수 있는 사슬,
이걸 몸에 감아두면
어둠은 힘을 쓰지 못한다.

그래,
돌아오기만 하면…

스페라도 후작.

트라 베쉬
스페라도 후작님.

태후 폐하께서
기다리고 계십니다.

오오, 그래.

멈칫

꾸벅

메데이아
태후 폐하.

오랜만입니다.

몸이
좋지 않다 들었는데
건강해 보여서
다행이에요, 후작.

태후 폐하께서
염려해 주신
덕분이지요.

후후…
후작은 늘 저를 즐겁게 해주는군요.

제 말주변이 부족해 더욱 흡족하게 해드리지 못한 것이 슬플 따름입니다.

늘 저를 유쾌하게 만들어 주는 후작에게, 해줄 게 없어 어쩐다…
됐다!

존경하는 태후 폐하, 혹시 괜찮으시다면 제 이야길 조금 들어주시겠습니까?
요즘 돌고 있는 저에 관한 부끄런 소문을 태후께서도 들으셨겠지요. 제 불쌍한 둘째 딸아이 말입니다.

셀바토르 공작이 후작의 차녀를 납치했다는 이야기 말이군요.
끄덕
…후작, 내가 도울 게 있다면 말하세요.
씨익

제 차녀는 몸이 좋지 않아서 저택을 벗어난 적이 없습니다.
푹
부들
부들
그런 아이가 셀바토르 공작, 그 무시무시한 사람 손아귀에 있다고 생각하니…

그렇다면
간청하건데,
귀족 재판을
열어주십시오!

Chapter 29

귀족 재판
말입니까?
예, 저 무지막지한
셀바토르 공작을
귀족 재판에 세워
그 죄목을 낱낱이
밝히고 싶습니다.

귀족 재판

오직 황제의 명으로만
열 수 있는 이 재판은
'명예적 사형'이라고도 불린다.

귀족 재판에서 죄가 인정되면
심하면 작위를 박탈당하고
평민으로 강등되는 경우도 있다.

명예를 목숨보다도
더 소중히 여기는
르카디우스 제국 귀족에게
이보다 더 큰 벌은 없다.

물론 셀바토르 공작
정도의 위치라면
작위를 뺏기지
않을 수도 있지만…

그 고귀하고 드높은
명예는 땅에 떨어져
더럽혀지겠지!

푹

부탁드립니다!
메데이아
태후 폐하!!

현 황제는
소심해서 분쟁을
피하려고만 하지.

하지만
이 젊디젊은
태후라면…

선황제의 황후,
메데이아 시엔
르카디우스.

원래는
'아펠로니아
이트바나'

선황제에게
눈엣가시였던
이트바나 왕국,

그리고 그 나라의
심장이라 불리는 보석을
스스로 들고 나타난 공주.

소국 이트바나의
공주였다.

공주는 선황제에게
두 가지를 약속받았다.

하나는 이트바나 왕국민을
제국에 받아들이는 것과,
다른 하나는 공주 자신을
황후로 맞이하는 것.

제국 귀족의 반대를 뚫고
결혼한 그때, 공주는
스물을 갓 넘긴 나이였다.

쉰을 훌쩍 넘은
황제와 결혼하여,
자신보다 나이 많은
황태자의 양어머니가 되고,

자신의 원래 이름을 포함한
모든 것을 버리며
한때 제국에서 가장
높은 자리에 오른 여자.

그리고
선황제의 갑작스러운 병과 함께 순식간에 몰락한 여자.

기구한 팔자다만 아직도 젊다. 황궁 한구석에서 이대로 썩고 싶진 않겠지.
만일 저를 도와 귀족 재판이 열리도록 해주신다면 그 은혜를 잊지 않겠습니다, 메데이아 태후 폐하!

저의 사랑스러운 첫째 딸 엘리가 아렌도 황자 전하와 약혼을 했으니까요.

분명 추후 '황자님이 장성하시면' 제가 태후 폐하를 도울 수 있을 겁니다….

전 태양의 황후였던 분이니 당연히 제가 신경 쓰는 것이 맞습니다.

오히려 이제야 태후 폐하를 뵙게 돼 죄송할 따름입니다.

후작이 나를 이렇게 생각해 주는지는 몰랐어요.

후후, 그래요.

겨우 황제 폐하께 이야기를 전해 주는 것뿐이니 제가 못 해줄 것도 없지요.

좋았어…!
퍼트린 소문에,
직접 보낸 서신에,
거기다 태후까지 나선다면
황제도 귀족 재판을
열 수밖에 없겠지!

어차피 우리는
사돈이 될 사이 아닌가요?
곤란한 사돈을
모른 척할 수는 없지요.
크흑…!

감사합니다,
메데이아 태후 폐하!
덕분에 저는 제 귀한 딸을
되찾을 수 있을 겁니다…!
마땅히 도와야 할 사람을
도울 뿐이랍니다,
스페라도 후작!

태후 폐하.

스페라도 후작님을
모셔다드리고
왔습니다.

그래,
즐겁게 가시던?
예, 만면에
미소를 가득 띠고
가셨습니다.

다행이구나.

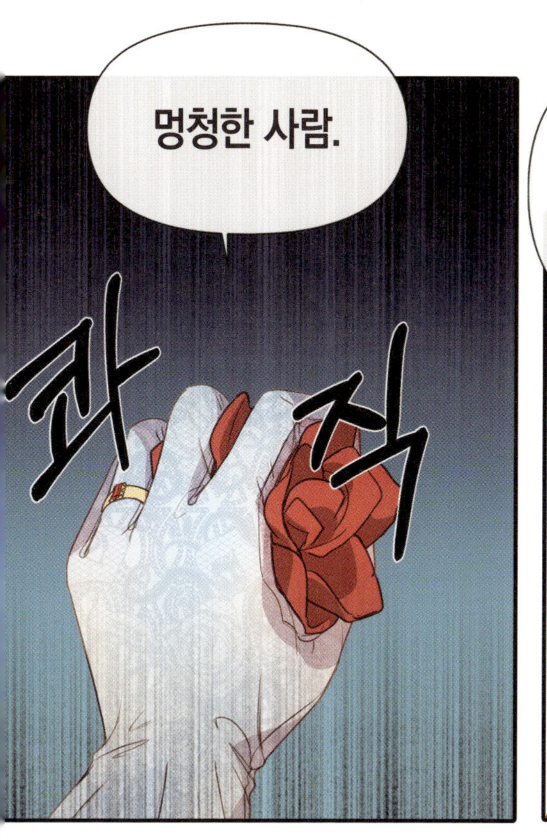

멍청한 사람.

셀바토르 공작을
방해하라고
정보를 흘렸더니
되레 제 딸을
빼앗길 줄이야!
이렇게까지
멍청한 인간인
줄은 몰랐어.
하지만 가장 적당한
사람이었지요.
그렇지,
적당한 인물이었어.

자기 주제도 모르고
셀바토르 공작을
넘어설 수 있다고 믿는,
가문만 생각하는
이기적인 남자.

사돈이 될 사람이라
조금 도와줄까 했더니…
이쯤 되니
아렌도의 약혼녀를
잘못 구해 준 게 아닐까
걱정이 되는구나.
걱정 마십시오.
약혼 정도는
쉽게 파기할 수
있으니까요.

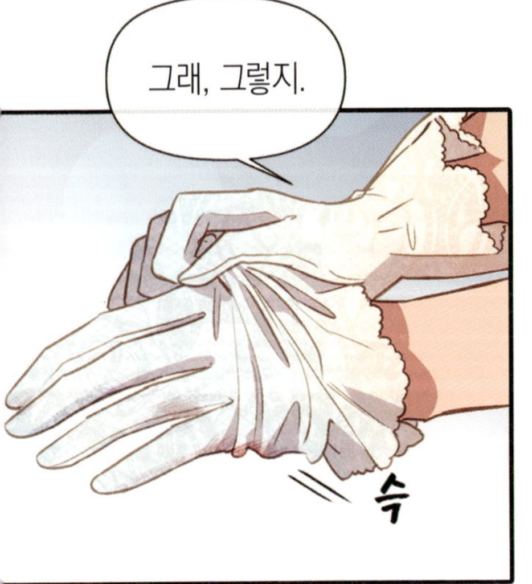

그래, 그렇지.
수

가져다 버리렴,
못 쓰게 되었으니까.
네, 알겠습니다.
그리고 이피엘,
우리 황제 폐하께 내일
오랜만에 아침 식사를
함께하고 싶다고
전해 주렴.

아무리 싫어하는 나라도
어머니로 대하는
예의를 지키는 황제니
귀족 재판 정도야
열 수 있겠지.

하지만, 그것 하나
해결 못 해 나를
찾아오다니.

휴…

…
이피엘, 소문의
셀바토르 공녀의
이름을 알고 있니?
네,
'레슬리 스페라도'
입니다.

흐응…
이름도 귀여워라.
레슬리,
레슬리라…

아하하.
태후 폐하?
'레슬리'는 호랑가시나무 정원을 뜻하는 단어.
그리고 호랑가시나무의 꽃말은 '가정의 평화와 행복'…
미들네임도 지어주지 않고, 어떤 취급을 해왔을지 눈에 훤한데
그런 아이에게 레슬리라는 이름을 지어주다니…

후작도 참
너무하지.

만나 보고
싶어라.

앞으로가
기대되네.

셀바토르 공작이
골랐으니 분명
보통 아이는 아닐 거야.

안녕하세요,
공녀님!

깜

슈엘라 아폰
틸레이얼입니다.
앞으로 공녀님의
예절 교육을
담당하게 되었어요.
아,
푹
레슬리…
입니다.

휘둥그레
……

이게 아닌가?
예절 선생님이시니까…
…잘 부탁
드립니다.
꾸벅

심각
!!
아닌가… 무례했나??
앗, 그래! 성까지 전부
소개하지 않았으니까
큰 실례일 거야…!

안 됩니다,
공녀님.
질끈
아, 역시
혼날 거야.

레슬리 공녀님.
저를 봐주세요.

저에게
허리를 굽히시면 안 됩니다.
전 여기 가정교사로 온 사람이고,
공녀님은 이 제국의
유일한 공녀이시니까요.

씨익

이 행동은
신분이 낮은 이가
신분이 높은 이에게
하는 인사법입니다.

주로 평민이
귀족이나 젠트리 계층에게
이렇게 인사하지요.

!

스페라도 가문의
가정교사들은…

우리는 지식을
아가씨에게 가르쳐 주는
귀한 사람입니다.

그러니
우리에게 아가씨가
예를 표하는 게 맞아요.
앞으로도 이렇게
인사하십시오.

하긴, 어차피 거기서
나는 사람 취급도
못 받았던걸.

네, 알겠습니다,
틸레이얼 자작 부인.

공녀님은 제국 유일의 공녀이십니다.

이 말인즉, 메데이아 시엔 르카디우스 태후 폐하와

아르트엘 레폰 르카디우스 황후 폐하,

아셀라 벤칸 셀바토르 공작님,

마지막으로 스웰라 디 아이테라 공작부인.

그다음으로 여성 중 가장 높은 분이 공녀님이라는 소리입니다.

레슬리 공녀님 위론 단 네 분밖에 없다는 걸 기억해 두세요.

혁

혁

그렇군요.

자아, 그럼 저를 따라 해 보시겠어요?

살짝

이건 공녀님보다
높으신 분이나 나이가 많은 분께
존경을 담아 인사를 하는
방법입니다.
기우뚱
솔직히 공녀님의 지위라면
이 방법대로 인사할 분이
많지는 않을 겁니다.

황족이 있지 않나요,
틸레이얼 자작 부인?
끄덕
부디
틸레이얼 선생님이나
슈엘라 선생님이라
불러주세요.

황족과 마주할 때는
허리와 무릎을 더
숙여야 합니다.
더 깊은 경외를
담아서요.
꾸벅
꾸벅

아주 잘하셨어요!
짝
짝

살짝
감사합니다,
슈엘라 선생님.
어머나!

이렇게 귀엽고 착실한
공녀님인 줄 알았다면
밤을 새워서라도
더 일찍 올 걸 그랬어요!
맞다!
사실 제가 공녀님의
환심을 사기 위해
귀한 걸 가져왔답니다!
귀한 것?

짜
잔

슈엘라 선생님,
이게 뭔가요?
솜사탕입니다.

사탕!
달캉

…???

Chapter 30

휙

저어, 선생님.
이건 선생님의 머리카락인가요…?

아하하하하하!
깜짝

그, 그게
솜사탕이랍니다,
레슬리 공녀님.

한번
드셔보세요.

슬쩍

합

사르르…
…!!

신기하지요?
네, 신기해요.
도대체 뭘로
만든 걸까?
입에 닿자마자
사라졌어…!

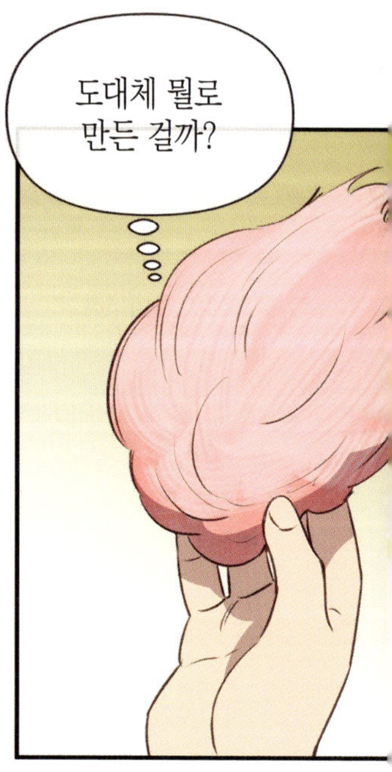

선생님, 이건 구름으로 만든 건가요?
설탕을 녹여 만든 거랍니다.

르카디우스 제국에선 쉽게 볼 수 없는 간식거리지요.
합
그렇구나.
선생님의 머리카락도 구름도 아니었어.

부끄러워….

끼익—

마델.

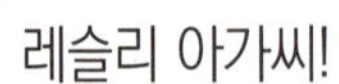

레슬리 아가씨!
어서 오세요,
오늘 첫 예절
수업이셨지요?

응, 오늘
첫 수업이었어.

선생님도
좋은 분이셨고.
바닥에
앉으면 추워요,
아가씨.
카펫도
깔려 있는걸.

거기다 내 방은
늘 따뜻해서 좋아.
마력 난로라
불이 없어서
무섭지도 않고.

맞아, 마델!
이것 봐, 솜사탕이래.
솜사탕이요? 이런 건 처음 봐요.
포근해 보이는 게 꼭 솜 같네요.

난 구름 같다고 생각했어.

먹어봐, 달콤해.
세상에! 아가씨…

이런 간식은 처음이에요!
그치, 나도 그랬어.

근데… 아까 너무 많이 먹었나?
공작님이랑 사이레인 님, 베스라온 님과 루엔티 님, 제나랑 서올리한테도 나눠줘야 하는데….

이런 말 하긴 부끄럽지만…
사실 아까 분홍 머리의 손님을 뵀었거든요, 그런데 이 솜사탕이라는 걸 처음 봤을 때 그 손님의 머리카락 같았어요.

방긋
나만 그렇게 생각한 게 아니구나!

그런데

이렇게 평화로워도
되는 걸까….

공작님이
재판 얘기를 해주신 지
며칠이나 지났는데
조용하기만 하고…

─양

스페라도 후작이라면
분명 무슨 일을
꾸미고 있을 텐데….

레슬리 양??

벌써 지친 거야?

아니에요,
그냥 잠시 궁금한 게
있어서요.
궁금한 게 있으면
물어봐야 하지 않겠어?
말해 봐.

레슬리 양!

레슬리 양이라고 안 하면 안 돼요?
그냥 평소처럼 레슬리라고 불러주세요.
너도 그날 아침 이후로는 나를 '루엔티 님'이라고 부르잖아?

나는 나를 '루엔티 님'이라고 부르는 사람의 이름을 막 부를 정도로 예의 없는 놈이 아니거든.
말은 그냥 막 하면서…

찌릿
샥

내가 부르는 호칭이 맘에 안 들면 다시 오라버니라고 부르라니까!
그럼 나도 '예쁜 막내야~' 하고 불러줄게.

하지만…
꼼지락
공작님만 셀바토르 공작님이라고 부르면, 슬퍼하실 것 같아서요….
그때 결국 공작님만 어머니라고 부르지 못했어.
그 후에도 몇 번 연습해 봤는데 할 수 없었고…
…이 일로 공작님이 나한테 실망하시면 어떡하지?

굵적

너는
어머니에 대한 동경이
너무 깊어서 그래.
동경이요?

어머니가 너를
그 쓰레기 가문에서
구해 준 데다가,
멍청한 후작을 내쫓고
너를 보호해 줬지.
거기에 지금은
너에게 셀바토르의 성을
주기 위해 움직이고 계셔.

또 형에게 들어보니까
네가 어머니만큼
크고 싶다고 했다며?
턱
그것도 다
동경하는 마음에서
흘러나온 거야.

동경하고
또 너무 좋아하니까
오히려 쉽게 부를
수가 없는 거야.
그걸 어머니도
잘 알고 계실 거고.
그러니, 어머니가
너를 오해할 일
따윈 없어.

그럴까요?
당연하지!
어머닌 그렇게 속 좁은
분이 아니야.
그리고 넌 좀
멋대로 굴어도 돼.

적어도
이 공작저에선
아무도 널 미워하지
않으니까….

…
고맙습니다
루엔티 님.

그러니까
루엔티 오라버니라고
다시 불러줘,
응?
불쑥
어머니도
괜찮아 하시니까,
응? 어때??

공작님은
신경 쓰지 않으시겠지만,
그래도 제가 슬퍼요.

남들은 다 받는 걸
혼자만 못 받으면
정말 슬프잖아요.

그러니까… 조금만 기다려 주세요.
그럼 언제쯤 불러주게?
나뿐만 아니라 형도, 아버지도 은근 기대하고 있단 말이야.

중얼 그 자식들 모가지 중얼
휙
네?
으응? 아무것도 아니야.
알았어.
음… 제가 셀바토르의 이름을 받는 날에 꼭 불러드릴게요.

여기요!
파앗

이거 다시
해보고 싶었어.

그간 할 기회가
없었지만….

반짝
반짝

피식

그래, 네가
셀바토르의 이름을 이어
제국에서 가장 고귀한
수호자가 되는 날
전부 불러줘야 해.

꼬옥

…!

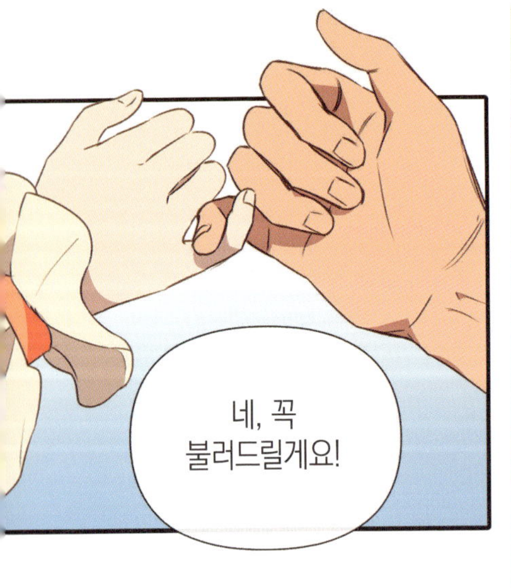

가장
고귀한 수호자.
가장 많은 침략을
막아낸 방패이자
가장 많은 적을
베어 넘긴 검,
셀바토르 공작가의
또 다른 이름…!
네, 꼭
불러드릴게요!

그럼 힘내서
재판에서 이길 준비를
해야겠는걸.
끄응~
아버지는
언제 돌아오시려나.
!

벌떡
루엔티 님! 재판, 재판은 어떻게 되었어요?
그리고 사이레인 님이 저택을 비우신 게 재판하고 관련이 있는 건가요?

재판 말이야?
아직 진행된 게 없긴 하지만 곧 열리겠지.
스페라도 후작이 어떻게든 재판을 열어 이기려고 물밑 작업을 하는 것 같더라.

어머니가 오늘 아침 일찍부터 황궁에 가신 것도,
아버지가 엊그제부터 나가 계신 것도 재판 준비 때문일 거야.
…물밑 작업이라니.

두 분이
자리를 비우신 게
재판 때문이었군요….

역시 후작이
가만히 있을 리
없었어.

공작님은
괜찮으실까….

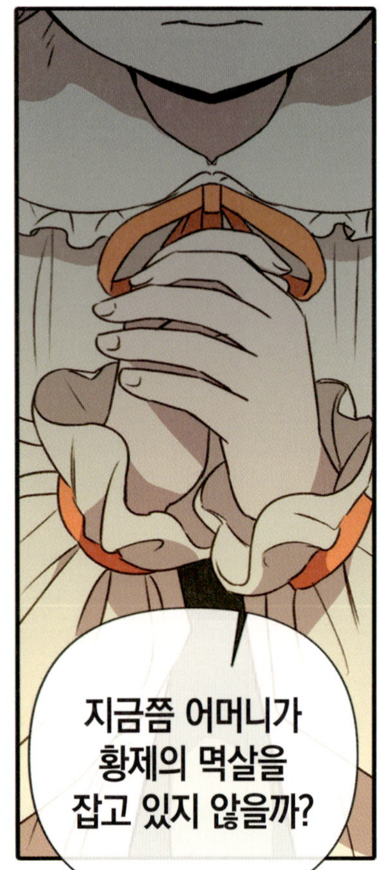

지금쯤 어머니가
황제의 멱살을
잡고 있지 않을까?

예…??

Chapter 31

화, 황제 폐하의 멱살을요?
싸악
상상했다.

저, 정말 잡은 건 아니죠?
황제를 모독하면 귀족이라도 목숨이 위험할 텐데…

아니라고 말해줘…!

옛날에 잡았다던데?

그게
언제였더라~

내가 본 건 아니고
아버지가 보셨다는데.

두 분이 젊었을 적
혼란의 시대 때
황제도 참전했었거든.

그런데 황제가
여러모로 어머니를
귀찮게 했나 봐.

안 그래도 눈앞에 닥친
적들에게 온 신경이
예민해져 있던 어머니가—

저지르고 마신 거지.
아아, 잡으셨구나.
황제 폐하는 잡히셨고.
그래서 그때부터 어머니가 황제를 곤란하게 만들고 있는 상황을,

다들 '어머니가 황제의 멱살을 잡고 있다' 라고 하더라고.
관용구로 굳어버린 거지.
풀썩
…그 '다들'이라는 건 사이레인 님과 루엔티 님 말씀이죠?

형도 그래.
베스라온 님 마저…!
이건 밖에 나가서 쓰면 안 돼. 황족 모독죄로 귀찮아질 수 있으니까.

꾸덕
네에!
하하.

그럼 이제
세계사 공부는
그만하고
힘쓰는
연습으로
넘어갈까?

자!
해볼 수 있겠어?

끄덕

스륵

파삭

파사삭
파삭
파악

와—
제나가 나뭇조각이 매일
한 상자씩 나온다고 하더니,
정말 열심히 연습했구나.
네!
저 열심히 했어요!

이번엔
한 번에 성공했네.

그래그래,
잘했어!

부스럭
부스럭
그럼 이제…

살짝

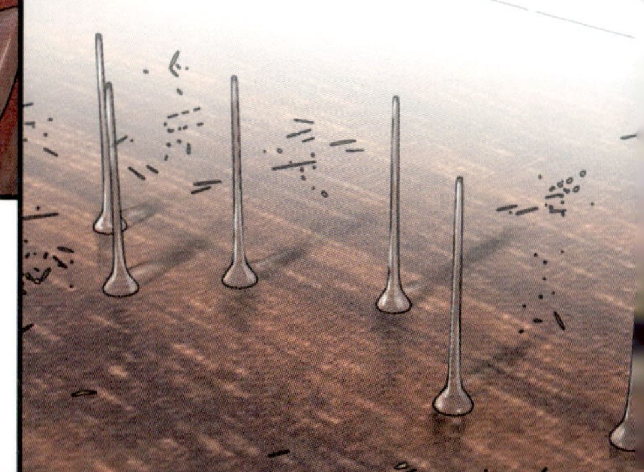

중급 편을
시작해 볼까?
깨지기 쉬우니까
조심하라고~

웅성
웅성

…신전에 기별을
넣어야겠어.

조만간 축복을 받으러
가겠다고 말이야.

레슬리 아가씨의
'축복의 이름'
말이군요.

귀족가에서 아이가 태어나면
건강하고 행복하게
자라길 바라며 신전에
많은 금액을 기부한다.

그러면 신전에서는
그 기부금으로
선행을 베풀고,

아이의 앞날을
축복하는 의미로
미들네임을 내려준다.

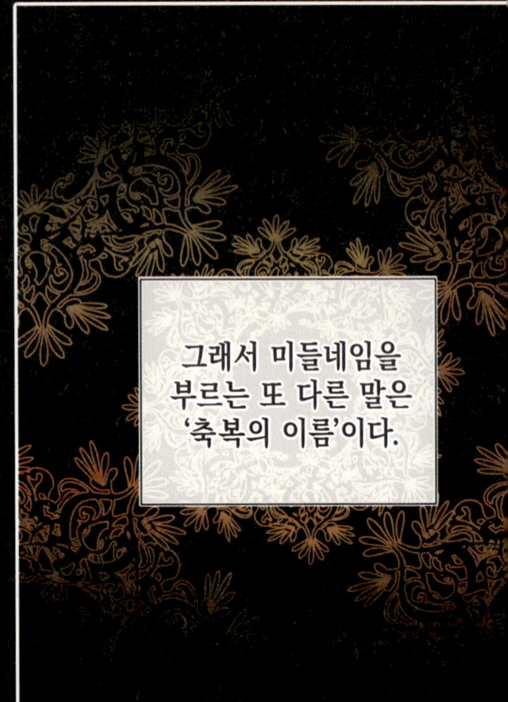

그래서 미들네임을
부르는 또 다른 말은
'축복의 이름'이다.

하급 귀족이라도, 하다못해
돈이 없어 파산 직전인
귀족이라도 모두 자신만의
미들네임을 갖고 있지만…

예쁜 이름을 받으면 좋겠네요.
그럴 거야, 마음도 예쁜 아이니까.

…
재판은 귀찮게 굴러갈 겁니다.

란다의 꽃은 한없이 연약해 보이지만,
그 뿌리는 호수 전체를 장악하는 꽃이니까요.

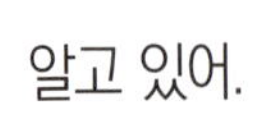

알고 있어.
수

꽃이 피지 않게
호수를 관리해야겠어.
혹여 씨앗이 섞여 있으면
골라내고 말이야.
한번 솎아내긴 했지만
조심해서 나쁠 건 없겠지.
좋은 생각이십니다.
혹시 모르니
공작령에 있는 호수도
점검해 보겠습니다.

끼익—
아셀라 벤칸
셀바토르 공작님이십니다.

어서 오게,
셀바토르 공작.
하늘의 주인을
뵙습니다.

피스토레 자일스
르카디우스 황제 폐하.

어서 앉게.

우리가 언제
그런 예를 차릴
사이던가.

털썩

그렇다면
무슨 일로
부르셨는지 여쭤봐도
되겠습니까?

별일 아니네,
그저 안부가
궁금했던 거지.

안부요….

달칵

…….

무슨 생각이야?
추욱
무슨 말을
하는 건지 모르겠어.
초록

스페라도 가문의
차녀 말이야.

왜 갑자기 양녀를
들이겠다 한 건진 몰라도…
아니, 거기까진 좋아!

지금 여유 있게 차를
마실 때가 아니라니까,
셀바토르.

여기저기서
귀족 재판을 열어달라고
난리를 치고 있어.

물론 가장
적극적인 건
스페라도 후작이고!

그런데 왜 하필
그 스페라도 가문의
차녀냐고.

엊그제는 아렌도가
나에게 부탁하더군,
제 약혼녀의 가문을
도와달라고 말이야.

어제는 드디어
메데이아…
태후까지 나섰어.

끄응‥

꾹

귀족 재판에 서는 것 자체가 불명예지.

특히 너희 가문은 그간 이렇다 할 흠이 없었던 만큼 다들 개떼같이 몰려들 거야.

최대한 막아보고는 있지만 한계야, 한계라고!

스페라도 후작은 절대 포기하지 않을 기세야.

무슨 일인진 모르겠지만 지금이라도 후작의 차녀를 돌려보내고 합의점을 찾아봐.

귀족 재판이라니… 그것도 아픈 아이를 납치? 감금?

셀바토르, 이번엔 네가 물러나.

소문의 질이 너무 안 좋아.

소문 말인가?
그래, 너는 다른 귀족과 교류가 적으니 모르겠지만 스페라도 후작이 너무 악질적으로 소문을 퍼트리고 있어.
피식
소문 속에서 너는 아이를 잡아먹는 괴물 취급이라고!
이미 난 '괴물 공작' 아닌가. 소문은 내게 타격을 입히지 못해.
달칵
셀바토르—

그냥 그들 요청대로 귀족 재판을 열어주게.
타격을 입을지도 몰라… 모두가 고고한 셀바토르 공작가가 어떻게 더러워질지 기대하고 있다고!
그것 때문에라도 더 날뛰는 자가 나올 수도 있어.
신경 안 써.
메데이아 태후가 뒤에 있을지도 모른다고. 위험해, 셀바토르.

알고 있네.
탁
르카디우스, 잊은 모양인데.

소문도, 귀족 재판도 우리 셀바토르 가문에 조금의 흠도 내지 못해.
거기다 아무리 그 여자가 나선대도 나를 쉽게 이기진 못할 거야.

차라리 지금 한번 움직여 주는 게 경고도 되겠지.
으으...
그게 사실이라 더 짜증 나.

...좋아.
그럼 귀족 재판을 열겠어.
스페라도 후작에게 반론할 준비는 되어 있나?
그럼!
척

펄럭

거기 쓰인 대로 후작은 자신의 차녀, 레슬리 양을 학대했네.

밥을 굶기는 건 예삿일이고 매질과 정서적 학대 역시 포함되어 있어.
거기에 레슬리 양이 불을 무서워한다는 걸 알자마자 레슬리 양이 탄 마차에 불을 질렀더군.
빠져나오지 못하게 일부러 문까지 막아가면서 말이야.
…!

Chapter 32

도대체 왜?
자기 친딸이지
않은가?

그래, 그걸
정말 모르겠단
말이야.

스페라도 후작이
왜 자신의 차녀를
산 채로 불에 태우려
했는지 말이야.

제물 이야기는
일부러 적지 않았다.

너무 충격적이어서
오히려 현실감 없이
받아들일 수도 있고,

거기에
레슬리 양의 말 외엔
마땅한 증거도 없다.

눈이 가려진 채
끌려갔기에 그 정자의
정확한 위치도 모르고
가문의 장례 기록에는
죽은 아이들의 사인이
제각각 달랐다고 했다.
저기다…
만약 황실이
이득을 위해
이 일을 암묵적으로
용인하고 있었다면…

르카디우스,
자네는 혹시
짐작 가는 게 있나?
내가 어떻게 아나!

그런 놈인 줄 알았다면
아렌도와 약혼 이야기도
꺼내지 않았을 거야!
끔찍해!

…황제 자리에 오른 지 십 년도 훨씬 지났는데, 하여간 저 유약한 성격은 그대로군.
이런 면에서는 안심이야.

그 일의 증거는 있나? 그… 끔찍한 사건 말이야.
베스와 린체의 기사들 몇이 그걸 보았다고 했어.

린체 기사단인가… 확실히 황실 소속인 린체 기사단이 증언하면 다들 신뢰하겠지.
하지만 베스라온 경은 안 돼. 자네 아들이라 분명 말이 나올 거야.
증인석에는 다른 기사들을 세울 생각이야.

그리고 루엔티도 뭔가 증거를 알아보고 있는 모양이더군.
흐음…
자네도 알다시피 모든 아이는 부모 밑에 있어야 하는 법이 있네.
그걸 들먹인다면 너도 어쩔 수 없을 거야.

학대라고 해봤자 증거도 부족하고
저쪽에서 훈육을 위해서였다고 주장하면 크게 문제가 되지 않을 거야.
그… 마차 사건은 너무 끔찍해서 확실한 증거가 없으면 믿는 사람도 없을 거고.
그게 아이들이 학대당해도 괜찮다는 법은 아닐 텐데.

거기다
스페라도 후작은
선을 넘었어.

아이를 완전히
물건 취급 하더군.

후…

후에 손 좀 보게
힘써야겠군.

이렇게 악용할지
누가 알았겠나.
법을 맨 처음 만든 이도
생각하지 못했을 거네.

여태 모르고 있던
곰팡이가 발견된 거겠지.

으으, 법 개정이라니…
분명 의회에서
귀찮게 굴 텐데.

우리도 나이를 먹었는데
좀 편하게 살면 안 될까,
셀바토르 공작?

한 제국의 황제가
편하게 살면 안 되지.

무덤에 가서나
편히 쉬게.

너무해.

…

그런데 말이야 셀바토르,
그 아이를 왜 양녀로 들였나?
나한테만 이야기해 주면
안 되는가?

자네가 양녀를 원하면
제국의 모든 여성이
달려들 텐데.

귀여워.

…어?

그래,
정말 귀여워.

잘 웃고,
먹는 것도
잘 먹고.

솔직하고,
상냥하고

거기다
나이대에 맞지 않게
얼마나 현명한지.

처음 봤을 때
솔직히 놀랐다니까.

…정말 마음에
들었나 보군.

네가 누군가를
이렇게 칭찬하는 모습은
사이레인 이후로 처음이야.

그랬나?

반짝

흐음.

셀바토르, 그 정도로
좋은 아이라면 우리 황실과
약혼은 어떤가?

황궁에서
가장 고귀한 자리에
레슬리 양을 올려주지!

필요 없네.

잠깐,
고민도 안 하는 거야?
황태자비 자리인데??
나는 만약 딸이 있었으면
당장 베스나 엔티와
결혼시켰을 텐데.
피식
결혼은
우리 애들 마음이지
네 마음이 아니야.
그러니 거절하겠네.

냉정한 셀바토르…
황실과의 약혼을 이렇게
무자비하게 쳐 내다니.

수ㅡ
그래서 우리 사이가
이렇게 이어지고
있는 게 아닌가.

벌써 가게?
오랜만에 왔는데
좀 머물다 가지.
자네가
좋아하는 음식을
특별히 신경 써서
올리라고 해놨는데….
그럴 필요 있나.
서로 해야 할 일이
산더미일 텐데.
손님 핑계로
좀 쉬려고 했는데….
그럼 재판 날짜가
나오면 알려주게,
피스토레.
끙○○○

며칠 뒤,
스페라도 후작저

됐다!

큼…
내 딸을
되찾을 수 있게 도와주신
황제 폐하의 은혜에
더없이 감사드리네.
부디 따님을
되찾을 수 있으면
좋겠습니다.

지하실에 철창이
제대로 달려 있는지
다시 확인해 봐야겠어.
힘을 억제하는
사슬에 감아서
한 달 정도 빛도 없이
내버려 두면
그 포악한 성질머리도
고분고분해지겠지.

못난 딸에게
이렇게 기회를 주다니
이 얼마나 자비로운지!
분명 그리될 걸세,
나도 진심으로
그렇게 되길 바라.

…귀족 재판이라니.
잘그락

잘그
잘그
어쩜 그런 불명예스러운 일에 휩쓸릴 수가 있지?
저이는 무슨 생각으로 그런 걸 열자고 하는 거야.
분명 나한텐 둘째만 낳으면 아무런 일 없이 평온하게 잘살 수 있다고 해놓고선!
싫어, 싫어!
이런 일에 연관되고 싶지 않다고!
풀썩
왜 저이는 연약한 나를 신경 써주지 않는 거야?

마님!

...
후다닥

짜증 나.
왜 자꾸
그 쓸모없는 것을
이리로 들여오려고
하는 거야.

날 위한 제물로
쓸 생각도 아니면서!

까득

…그렇다고
재판에서
지는 것도 안 돼.

지금도 다들
수군대는데
그럼 날 얼마나
비웃겠어!

아렌도 황자도,
내가 체면 구기며
도와달라고 했는데
재판에서 진다면…

…계속 이런 식으로
가다간 황자비 자리에서
나를 내칠지 몰라.

거기다 지면,
레슬리 그것이
셀바토르 공작가에
남아서
제국에서 유일한
공녀가 되는 거잖아!!
아아, 싫어!
그 아이는 언제나
나보다 밑이어야
하는데!

그러려고
태어난 거잖아!!

텔썩

나보다 더
행복해질 거라면
살아 있을 이유가
없잖아.

차라리
사라졌으면 좋겠어.

꺄아아악!!

꿈이야.

덜
덜
덜
이건 꿈이야.

살려주세요…
제발, 제발요…
아버지!
어머니!!
혀, 형영…
앞으로는 안 그럴게요,
절대 안 그럴게요
잘못했어요…

셀바토르
공작에게
고한다!!
꺄아악!
꺄악!

스페라도
가문의 제물을
훔쳐 온 죄!
스페라도 가문의
앞날을 막은 죄!
그리고 제물이
제 용도로 쓰이지
못하게 막은 죄!

공작을
사형대로!
감히
가문의 앞날을
막다니!
아니야!
공작님은 나를
보호해 주신
것뿐이야!
셀바토르 공작을
사형에 처한다!!

안 돼!
번쩍
…괜찮아.
괜찮을 거야.
푹

또야.
또 이 꿈이야.
어서 자자,
피곤해하는 티를 내면
모두 걱정할 거야.
짜읔
그리고
날이 밝으면
차라리
재판이 어떻게 될지
전부 물어보자.

Chapter 33

다들 너무해.

아무도
귀족 재판에 대해
제대로 알려주지 않아.

공작님은 바쁘시고,
사이레인 님은
저택을 비우셨고,
루엔티 님도 요샌 공작저에
잘 안 계시고,

베스라온 님이랑
슈엘라 선생님은
괜찮을 거란
말뿐이고…

내가
장본인인데.

…혹시라도
공작님이 잘못되시면
어쩌지?

레슬리 양?

휴…

콘라드 경?

죄송합니다.
아무런 대답이 없으시기에 무슨 일인가 싶어 허락도 없이 먼저 문을 열었습니다.
아닙니다, 제가 못 들은걸요.

오늘은 신학 수업을 하기 전에 먼저 차를 마실까요?
여기, 뜨거운 물과 다기를.

피곤해 보이십니다.
잠…을 제대로 못 자서요.
쪼르륵

사각

생각에
잠겨 계셨군요.

무슨 일인진
모르지만─

부스럭

달칵

달콤한 것은
기분을 훨씬
낫게 해주지요.

익숙해 보이시네요.
저희 어머니께서 제가 우려낸 차를 좋아하셔서요.

살짝

와아!
꽃밭에 와 있는 것 같아요….
좋아해 주시니 다행입니다.
이번에 어머니께서 타국에서 사 온 차인데, 수선스러운 마음을 가라앉혀 주는 효과가 있다고 하더군요.

이것도 드셔보세요,
분명 좋아하실 겁니다.
디저트!

역시 맛있어…!
파앗
에클레어라는
음식입니다.
마음에 드신 것 같아
다행이에요.
^^

기분은 조금
나아지셨나요?
네… 신경 써주셔서
감사합니다, 콘라드 경.

뭘요, 혹시라도
답답한 게 남아 있다면
제게 이야기해 주세요.
남에게 털어놓는 것도
걱정을 줄이는 꽤
좋은 방법이니까요.

좋은 방법…
깜빡

저, 콘라드 경!
혹시 귀족 재판에 대해 아는 것이 있으신가요?

아아,
그게 궁금하셨군요….
머뭇
!

콘라드 경!
덥썩

제발
알려주세요!

전 그 일의
당사자인데
아무것도 몰라요,
제발요!

……

……콘라드 경?
아, 그, 저기…
죄송합니다만
레슬리 양, 손을 놔주지
않으시겠습니까?

앗, 네…

…저어,
제가 불편하신가요?

후욱…

아, 아니!
아닙니다,
레슬리 양!

레슬리 양의
잘못이 아닙니다!

그러니까…

…그게 말이죠,

실은 제가 여성분에게
익숙치가 않아서요.

콘라드 경이요…?

레슬리 양도
아시다시피 저는
테센트루아 성 기사단의
일원입니다.

일곱 살쯤부터
신전 기사단에 들어가
단체 생활을 했습니다.
당연한 얘기지만
그 안에서 남녀가 따로
나뉘어 생활하죠.
그때부터 같은 성별인
생도하고만 지내와서
이제까지 여성분을 접할 일이
거의 없었습니다.

얼마 전 정식으로
기사 작위를 받고
아이테라 공작저로
돌아오기 전까지도요…
그래서…
이야기를 나누거나
하는 건 괜찮지만 그,
손을 잡거나 하는 것은…
…죄송합니다.
꾸벅
아니에요!
제가 배려하지 못한
탓이에요.

죄송합니다, 콘라드 경.
아닙니다, 저 때문에 많이 놀라셨을 텐데… 제가 죄송합니다.
아닙니다, 제가 실례를…
꾸벅
꾸벅
아뇨, 제가 더…

…크흠, 귀족 재판에 대해 물어보셨죠.
귀족 재판은 명예 사형이라고도 불립니다.

일단 그 자리에 서게 되는 것 자체가 불명예로 통하지요.
과거에는 재판에서 진 귀족들이 수치를 못 이겨 자살하는 경우도 있었다고 합니다.
움찔

하지만
셀바토르 공작님은
그럴 분이 아니죠.
그분의 명예는
더럽히려 해도
더럽힐 수 없는 것.
그리고 제국에서
가장 고귀한 수호자에게,
'진다'라는 단어는
어울리지 않지요.

콘라드 경은 공작님을 믿으시는군요.
네.

레슬리 양은 공작님을 믿지 않으십니까?
아니요, 믿어요!!

하지만…
다들 저에게 아무런 얘기도 해주지 않아요.
혹시 레슬리 양, 다른 분들에게 먼저 여쭤볼 때 어떻게 물으셨는지요?

그냥… 귀족 재판에 대해 궁금하다고 했어요.
불안한 모습을 보이면 걱정할 테니까….

그렇게 물어보면
다들…
괜찮아요
레슬리 아가씨.
아무 일도
아니랍니다.
아무 일도 아니라니,
그럴 리가 없는데.
쌔옴
마, 만약 제가
이곳에 오지
않았더라면…
툭
그랬더라면…

공작님도, 다들, 이, 이렇게 곤란하지 않았을 텐데…
후두둑
모두에게 너무 미, 미안해요.

그래서 악몽도 꾸고…
흐, 흐윽.
전부 나 때문이야.

괜찮습니다, 그건 레슬리 양의 잘못이 아니에요.
분명 공작저의 모두가 그렇게 생각할 겁니다.

멈칫

살짝

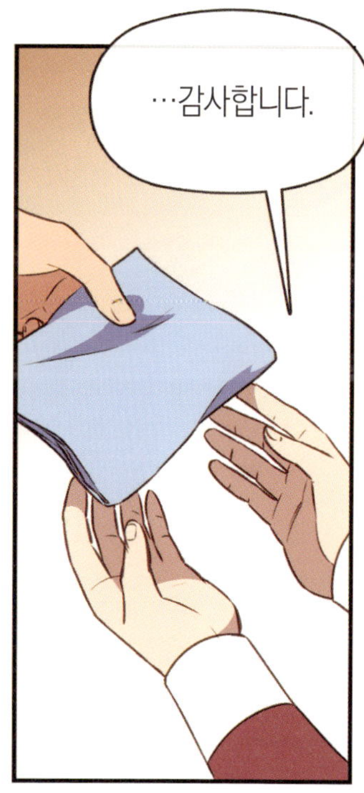
…감사합니다.

참견할 일은
아닌 것 같지만…
레슬리 양, 혹시 불안하다고
말해 보셨나요?

아니면
악몽을 꾸고
있다는 말은요?

절레

절레

한번 솔직하게
말해 보는 건
어떨까요?

악몽을
꿀 정도로 불안하다고,
그래서 알고 싶다고
이야기해 보세요.

그래도 될까요…?

그럼요,
다들 말하지 않으면
얼마나 그 걱정이 깊은지
알 수가 없습니다.

이야기하고,
울고, 화내고…
그렇게 감정을
보여보세요.

레슬리 양은 아직 어리니까요.
전 어리지 않아요, 열두 살인 걸요.
아직 열두 살이라면 더 크게 울어도 괜찮은 나이입니다.
성인이 되면 더 울지 못할 테니까요.
그러니 지금 열심히 울어놔야지요.
게다가 공작님이 보기엔 레슬리 양은 아직 어린아이인걸요.

…콘라드 경도
그럴걸요.
네, 저도
그분 앞에선 한없이
어린 아이일 겁니다.

셀바토르
공작님을 만나면
이번엔 물어보세요.
바쁘신 분이지만
레슬리 양이 솔직하게
지금 상태를 말하면
분명 얘기해 주실 겁니다.
네…
그래,
오늘 공작님이
돌아오시면

꿈 얘기도
솔직하게 말하고,
재판에 대해
알려달라고 해보자.
감사합니다,
콘라드 경.

Chapter 34

깜빡

아, 레슬리 양.
잠시 손을 부탁드려도 될까요?
손이요?
아까도 어쩔 줄 몰라 하셨으면서.

괜찮습니다.
지금은 마음의 준비를 하고 있으니까요.

살짝

아,
화
악

신력이다.
몸이 가벼워져…

악몽을 꾸신다기에…
몸이 조금 가벼워지면
잘 주무시지 않을까
해서요.
생긋
감사합니다….

손수건도
그렇고,
힐끔
축축

나중에
새 손수건으로
돌려드리자.

경께는 늘
신세만 지네요.

어떻게 이 호의를
보답해야 할지
모르겠어요.

그렇다면 레슬리 양,
나중에 저를 한 번
도와주시겠습니까?

!

네, 그럼요!

무슨 일이든
제가 도와드릴 수
있는 일이라면
도와드릴게요!

네, 그럼
부탁드리겠습니다,
레슬리양.

아가씨이…

졸리시잖아요,
내일 아침 일찍 공작님을
뵈면 된다니까요?

레슬리 아가씨,
공작님께 전하고 싶은
말씀이 있다면
저에게 말해 주세요.

제가 반드시
전해 드리겠습니다.

하지만 어제도 그제도
못 만났는걸.

오늘은 꼭
뵙고 말 거야.

절레

절레

공작님께선 새벽 별이 뜰 때나 돌아오실 겁니다. 늦게 자면 몸에 좋지 않아요.
내일 제가 꼭 일찍 깨워드릴게요! 그러면 공작님과 이야기하실 수 있어요.
아가씨, 어서 주무셔야지요~ 지금 주무시면 이 바타가 아가씨께서 가장 좋아하는 오믈렛과 팬케이크를 아침으로 올려드릴게요.
아가씨, 잠드실 때까지 제가 동화책을 읽어드릴게요! 아, 자장가는 어떠신가요?
설레
오늘 얘기해야 해.

오늘 콘라드 경이
응원해 줬으니까…
꼬옥

오늘이 지나면
또 망설일 것 같아.
뚜벅

무슨 일이지?
공작님!
벌떡

푹

눈을 맞아서
차가울 텐데.
괜찮아요.

지금 꼭
얘기할 거야.
꼬옥
피식

이 시간이면
자는 줄
알았는데…
그럼 무슨 일인지
물어봐도 될까,
레슬리 양?

꼬덕
공작님,

지금 진행되고 있는 귀족 재판에 대해 알려주세요.
책에서나 볼 법한 의미 말고, 절 달래주시려고 괜찮다고 하는 것도 말고요.

재판 준비는 어떻게 진행되고 있는지, 제가 도와드릴 건 없는지,
후작이 무슨 짓을 꾸미고 있는지… 전부 얘기해 주세요!

재판 이야기가 궁금해서 자정이 다 돼가는 이 시간까지 기다린 건가?
내일 이야기해도 괜찮을 텐데.
하지만 다들 얘기해 주시지 않는걸요, 베스라온 님도 그렇고 루엔티 님도 그렇고…

비록 공작님께서
민폐라고 생각하실지도
모르지만….

저는
이 일의 당사자니까
알 권리는 있다고
생각해요.

민폐라니
그럴 리가.

베스라온이나 루엔티
그리고 내가 너에게 말을
제대로 안 해준 이유는,

그저 이 일을
크게 보고 있지 않기
때문이란다.

네?

후작은 네가
이 저택에 왔을 때부터
재판을 열겠다고
난동을 부렸지.

덕분에 우리 쪽은
준비할 시간이
길었단다.

어리석은
스페라도 후작.

재판 준비는
잘 되어가고 있어.
그리고…

나는 너를 증인석에
세우지 않을 생각이란다.
어째서요??
당한 건 저예요!

굳이 네가 스페라도 후작을 마주하지 않고서도 재판에 이길 자신이 있으니까.
하지만…!
만약 필요하다 싶으면 바로 너에게 증언을 부탁하마.

계속 같은 말을 들어서 질렸겠지만, 걱정할 것 없단다.
우리는 그 재판에서 지지 않을 거니까.
토닥

네가 나에게 부탁했었지, 스페라도 후작가를 몰락시켜 달라고.

이건 그 몰락의
시작이 될 거란다.

거기에…

숨어 있는
란다의 뿌리를 찾는
첫걸음이 되겠지.

재판 당일

됐다!
예쁘세요,
아가씨!

맞아요!
아마 오늘 재판장에서
아가씨가 가장
아름다우실 거예요!
마델이랑 서올리가
예쁘게 꾸며준
덕분인걸…

저희가
열심히 한 게 아니라
아가씨가 예뻐서
빛이 나는 거예요.

그런데… 이렇게
꾸밀 필요가 있을까?

좋은 일로
나가는 것도
아닌데….

살짝

오늘
중요한 곳에
가시잖아요.

저희는 하녀라
같이 가지는 못 하고,
또 아가씨를 도와드릴 수
있는 게 없어서… 이런 거라도
해드리고 싶었어요.

중요한 일이 있을 때는
옷을 쫙 차려입는 것도
좋거든요!

전투 복장이라고
해야 하나? 마음을
빡, 하고 잡아줘요.

잘 다녀오세요, 아가씨.
저희는 여기서 아가씨가
원하는 대로 꼭 될 수 있도록
기도하고 있을게요.

응! 나 꼭
내가 바라는 결과를
가져올게.
네, 아가씨!
반드시 그렇게
될 거예요!
그 이상한 사람에게
한 방 먹이고 오세요!
응!!

왔어?

가자,
어머니는 먼저
출발하셨어.

사이레인 님과
베스라온 님은요?

아버지를
마중 가야 해서
어머니가 먼저
출발하신 거야.

형은 이미 황궁이고,
나름 황실 기사단장이니까
재판장 경비에도 신경을
써야 하거든.

이제 재판장에 들어가면 변론은 내가 맡을 거야.
너는 일단 어머니 옆에 앉아 있다가 필요할 때만 나오면 되고… 뭐, 나올 일 따위 없겠지만.
루엔티 님이요?
그래.
마차 발판 조심해, 넘어진다.
탁

왜 루엔티 님이
변론하시는 거예요?

아버지와 형은
무뚝뚝해서 말하는 일에는
맞지 않아.

그렇다고 어머니가
나서기엔 좀 이르지,
어머니는 공작가의
가주시니까.

어머니는 최종 보스 같은
느낌이라고 해야 하나….
내가 당하면 어머니가
나오실 거야.

움찔

물론
내가 당할 일도
없겠지만!

석

네!
꾸욱

이 아비 말을
잘 명심하렴.

힘을 가진 아이가
태어나지 못해서 그래요.
사실 우리 땅은
저 너머 끝이 보이지
않을 정도로 넓었고,
황실과 두 공작가 역시
우리를 함부로 하지 못할
정도로 강했지.
그렇지,
잘 아는구나.
하지만 우리는
점점 약해지고 있단다,
왜 그런지 아니?

네가 귀한 밀빛 머리니…
쯧, 저 쓸모없는 것들 중
하나라도 은발이었다면…
움찔
어쩌면
모를 일인 것을….

단 한 명, 한 명만 태어나도 좋아. 그러면 모든 일이 쉽게 풀릴 거란다.
네, 아버지.
너는 내가 낳은 아이 중 가장 총명한 아이니 내 뜻을 이해할 수 있지, 트라?
그 뜻을 이해했어요.
이제 곧 모든 게 제자리로 돌아올 거다.
꼴보기 싫은 셀바토르 공작가의 몰락은 물론이고,
돌아온 어둠의 힘으로 가문의 영광이 찾아올 거다!

Chapter 35

예전에 딱 한 번
황궁에 왔을 땐…

시녀 역할로
엘리를 따라 왔었지.

그때 하필
황자님께 차를 엎지르는
실수를 해버렸고,
다행히 찻물이 식어서
황자님은 신경 쓰시지도
않았지만.

집에 돌아와서
많이 혼나고,
많이 맞고,

맞은 것 때문에
많이 앓았었지….

정말 바보 같았어.

나를 함부로 대하는
사람들에게 왜 그렇게
사랑받으려고 했을까.

얼굴이 굳었네.

긴장했어?

긴장할 필요
없다니까.

아니에요,
전혀 긴장하지
않았어요.

꾹―

쓰다듬고 싶은데
머릴 예쁘게 해놔서
할 수가 없네.

루엔티,
레슬리.

탓

형!
베스라온 님!

제복 입은 건
오랜만에 보네, 형.
…이건 답답해서
그다지 좋아하지
않아.
너도 오늘
예쁘구나.
마델과 서올리가
꾸며주었어요!

그렇지만
잘 어울려요.
웃었다?!

중요한 날에는 제대로 차려입어야 한대요.
음, 그래야 마음을 빡 하고 잡을 수 있다고 해줬어요.
뭐, 맞는 말이지. 그래서 나도 오늘 이거 입은 거고.
펄럭

이런 답답한 복장을 좋아하는 건 콘라드뿐일걸?
그놈은 늘 제복만 입고 다니니까.

루엔티, 아이테라 공자에게 말이 심하다.
여긴 황궁이니 입을 조심하도록.
삐죽
네이ㅡ

삐죽

피식
레슬리, 너는 왜 그러는 거야.
적응 안 돼…!

그나저나 형, 아버지와 어머니는?
아차
이미 안에 계신다.
나도 한 번 더 경비를 확인한 후에 재판장으로 갈 테니 먼저 가 있도록 해.

저벅
저벅

누구지?
어디서
본 것 같은데.
가자, 레슬리.

아, 레슬리.
솔직히 말하자면
나는 아무렇지도 않지만,
너는 연약하고
이런 거 신경 쓸 것 같아서
미리 말해두는 거야.

이 안으로 들어가면
모두 너를 바라볼 거고,
수군거릴 수도 있어.
하지만
그런 건 일절
신경 쓰지 마.

정 안 되겠다면 어머니나 아버지 옆에 붙어 있어. 그러면 누구든 입을 다물겠지.
만일 혼자 있을 때 무례한 말을 지껄이는 인간이 있으면 얼굴을 기억해 놔.

반드시 그 인간들이 네 앞에서 머리를 조아리게 해준다, 내가.
척
키득
네, 꼭 말할게요.

전부 기억해 놨다가 말만 해, 알았지?
끼익
네에!

238

세상에, 인형이
걸어오는 줄 알았네!
이렇게 예쁜
레슬리 양이라니!!
꺄
악
!
레슬리
숨 막혀요!
확
당신 힘을
생각해야지,
여보.

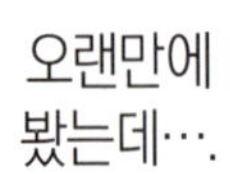

오랜만에
봤는데….

그래, 그래.
회포는 나중에
풀자고.
추욱
수근
수근

휙ㅡ
조용…

…
스페라도 후작가 쪽은
아직 안 온 건가?

그럼 전 잠시
증인 좀 보고 올게요.

저벅
저벅

멈칫
안녕하세요,
셀바토르 영식.

?
저를
아십니까?
네에,

스페라도 후작가의
엘리 데아른
스페라도입니다.

…아하.

우리 막내
괴롭힌 게
너구나?

자기소개조차
해주지 않으시는군요.
이미 다
알고 있는 듯하여.

좋습니다,
저도 길게 말하고
싶진 않으니까요.
움찔!
셀바토르 영식께
부탁드리고 싶은 것이
있어서 왔습니다.

저에게?

…지금이라도
재판을 포기하고 제 동생을
돌려주시기 바랍니다,
셀바토르 영식.

저희 가문이나
셀바토르 공작가나
이런 불상사에 휩쓸리기엔
그 명예가 아까운
가문들 아닙니까.

싫습니다.

발끈

저와 저희 부모님은
사랑하는 제 동생을
찾고 싶을 뿐이에요!

사랑?

스페라도 가문에서는
사랑이란 단어와
화풀이 대상이
같은 뜻인가 봅니다.

뭐 이런
무례한 사람이
다 있어??

망신을 당하실 겁니다,
우리에겐 강력한
증인이 있거든요.

하아
저벅
본인의 미래를
말씀하시는 거라면
정확할 겁니다,
스페라도 영애.
움찔
그리고…
언제부터 우리 셀바토르가
망해가는 후작가 따위와
같은 선에 놓이게 된 거지?
부디 주제를
잘 파악하길 바라,
스페라도.

저벅
저벅
후비적
기회를 걷어찬 걸 후회할 거예요!
당신네 가문도, 당신 미래도 끝이야!!
뭐래?
웅성
웅성
두기벅
다 온 건가?

…나를 죽이려고
했으면서

어쩜 저렇게
떳떳하게 이 자리에
올 수 있지?

황제 폐하께서
입장하십니다!

모두—
아, 되었네.

털썩
재판을 포기하려면
지금이 마지막 기회네.
셀바토르 공작,
스페라도 후작.

황제 폐하!
저는 물러나지 않습니다!
저의 사랑스러운 딸을
되찾기 위해 반드시 이 재판을
진행하고자 합니다!
동감입니다, 황제 폐하!
부모는 자신의 아이를 위해
뭐든 하는 법이지요.
그 아이는
내 딸입니다,
셀바토르 공작!
그건
두고 보면 알겠지,
스페라도 후작.
그만!!

두 사람 다
정식 발언권을 줄 테니
그때 이야기를 하도록.

시종장!

네!!

지금부터
트라 베쉬 스페라도 후작이
신청한 귀족 재판을
시작하기 전에!

아셀라 벤칸 셀바토르!
트라 베쉬 스페라도!

두 분은 신과
각 가문의 명예를 걸고
거짓을 이야기하지 않겠다고
맹세해 주시기 바랍니다!

나,
트라 베쉬 스페라도는 신과
스페라도 후작가의 명예를 걸고
진실만을 이 재판장에서
이야기하겠습니다!
나,
아셀라 벤칸 셀바토르는 신과
셀바토르 공작가의 명예를 걸고
진실만을 이야기하겠습니다.

두 사람 다
진실을 맹세하셨습니다!

피스토레 자일스
르카디우스 황제 폐하의
치세 아래 첫 귀족 재판을
진행하겠습니다!

Chapter 36

먼저, 재판을 신청한
스페라도 후작이
첫 발언권을 갖습니다!
웅성
웅성

저는 얼마 전
사랑하는 제 딸을
셀바토르 공작에게
빼앗겼습니다.
뚝..

작은 화재 사고가 있었습니다.
전혀 예기치 못한 사고였고,
저는 제 딸을 잃을 뻔했습니다.
그 사고에서
셀바토르 공작은 제 딸
레슬리 스페라도를
구해주셨습니다.

그리고
공작저로
데려갔지요.
뭐가
문제란 거야?

여기까지는 셀바토르 공작님이 호의를 베푼 것처럼 보일 겁니다.
하지만 공작은 일부러 제 딸을 데려간 겁니다!
아프고 여린 딸을 데려가 저를 협박했습니다!
웅성
깜짝
뭐, 뭐야.
저런 단순한 거짓말에 속는 거야??
제 딸은 태어날 적부터 몸이 약해 저택을 나선 적이 없었습니다.
그렇게 연약한 제 딸을 납치한 셀바토르 공작은,
저희 가문의 힘인 어둠의 비법을 알려주지 않으면 레슬리를 죽이겠다고 했습니다!

저는 부디 사랑스러운 딸을 되돌려 달라고, 차라리 절 인질로 삼으라고… 눈물로 애원했지만 셀바토르 공작은 그 말을 들어주지 않았습니다.
오히려 제 딸의 어여쁜 머리카락을 잘라 제게 보내기까지 했습니다! 이것이 그 편지입니다!
보십시오! 이 간악한 편지에 찍힌 셀바토르 가문의 인장을!
오, 꽤 비슷하게 만들었는데?
소근
움찔
협박한다고 하면 그냥 모가지를 잘라 보내면 되는 거 아니야?
왜 머리카락을 보내는 거야?

찰싹
물론 필적이나 인장을 가짜라고 생각할 수도 있습니다. 그래서 제가 여기 감정사의 소견서와—
그만.

편지도 필적도, 하다못해 감정서도 위조하려 하면 할 수 있는 것이지.
나는 더 확실한 증거를 원하네, 후작. 이딴 말장난이 아니라.

…좋습니다.
그렇다면 다른 증거를 제출하겠습니다.

아까 저는 제 딸이 작은 화재 사고를 겪었다고 이야기했습니다.
그리고 협박 편지를 몇 통이나 받은 후, 저는 이런 생각이 들었습니다.

과연 화재 사고는 우연히 일어난 일일까? 누군가가 일으킨 게 아닐까? 그런 생각 말입니다.

그리고 마침내 저는 그 화재를 일으킨 범인이 셀바토르 공작이라는 걸 알아냈습니다!
확
증인을 들어오게 해라!
수
휴… 얼마 전 로그엔이 귀향한다고 저택을 나갔는데, 손이 점점 부족해지네요.
…허, 이런.

생각보다
뿌리가 깊었어.

나도 감이
많이 죽었군.
저, 저는…
약 30여 년을
셀바토르 공작가에서
일해 왔습니다.
하지만 얼마 전
그만두었습니다.
왜냐하면…

왜, 왜냐하면…
공작님이 너무 부정한
명령을 해서…
거절했다가 그만…

공작님은
반드시 알아봐야
할 것이 있다며,
스페라도 후작가의
마차가 잠시 멈췄을 때
저와 다른 하인들에게
기름을 붓게 했습니다.
느, 느낌이 이상해서
전 거부했고…
곧 그만두라는 명령을
받았습니다.

며칠 후, 마차가 불타고 아이가 구해졌다는 소문을 들었습니다. 그렇습니다, 바로 저 레슬리 님이었습니다.
저는 저분이 걱정되어 다른 하인에게 안부를 알아봐 달라고 했고…

그 하인은 루…엔티 님이 아이에게 몹쓸 짓을 하고 있다고, 도와달라고 귀띔했습니다.
푹

허?
그, 그래서 다시 연락을 취했지만 대답을 들을 수 없었습니다.

그리고 얼마 안 돼 그 하인의 부고가 들려왔습니다.
술렁

웅성
그 하인의 이름은 파론, 파론 아덴 이었습니다.
그리고 파론의 장례식을 거행한 신관님이 말해 주더군요.
파론의 입에 치아가 단 하나도 남아 있지 않다고 말입니다.
웅성

고문을 한 건가…
세상에… 역시 괴물들!
그 여자… 장기말의 죽음까지도 알뜰하게 써먹었군.

아시다시피!
파
루엔티 아돌 셀바토르는
마법사 저택에서도
유명한 마법사입니다.
그가 제 딸에게
무슨 짓을 저지른 거지요!
그래서 제 딸이 저곳을
집처럼 여기고 있는 겁니다!
벌떡
아니야!!

거짓말을
하는 건 당신이잖아,
스페라도 후작!

언제나 나를
때리고 굶기고,
다락방에 가두고,
쓸모없는 인간이라고
했으면서!

축복의 이름조차
지어주지 않았잖아!

이름조차 제대로
불러주지 않았으면서
사랑스러운 딸이라니,
전부 거짓말이야!

…가엾어라.

얼마나 마법이
잘 먹혔으면
저럴까?

왜 다들…

레슬리.

쉬이, 괜찮아.
풀썩
왜…? 당한 내가 아니라고 하는데 왜 다들 믿어주지 않는 거야?

보십시오! 도대체 어떤 짓을 했기에, 제 딸이 저렇게 맹목적으로 셀바토르 공작에게 매달리는지!
학대라고요? 제가 저 아일 굶겼다고요? 그게 만약 사실이라면 제 손목을 자르겠습니다!

이걸 봐주십시오.
번쩍

오호… 영상 마법석이라…
이렇게 행복하게 놀던 제 딸이 더는 저를 아버지라 부르지도 않고, 스페라도 후작이라 부르며 비난하고 있습니다…!

수군
스페라도 후작님,
그런데 축복의 이름은
어떻게 된 겁니까?

그건 순전히
제 아내를
위해서입니다.

첫째 엘리를 낳고 난 후
제 아내는 유산했습니다.

축복의 이름에
가장 많이 신경을 쓰던
제 아내는 이윽고
절망에 빠졌습니다.

얼마 안 돼 다시
좋은 소식이 들려왔지만…
레슬리는
몸이 약했지요.

수군

수군

어…어떻게,
이 많은 사람들 앞에서 저런 말을 해!
거짓말, 거짓말!! 처음 출산할 때 죽을 뻔해서 싫다고 했는데도,
2년 넘게 졸라서 둘째까지 갖게 해놓고! 유산이라니!!
…그래서 제 아내는 아이가 건강해지면 축복의 이름을 받아오자고 이야기했습니다.
힐긋
안 그래, 여보?

푹
숱렁
그, 그렇습니다…
제가 유산한 탓에,
제가 무서워서…
축복의 이름을 후에…
스페라도 후작,
여태 한 발언들을 전부 책임질 수 있겠습니까?
수군
수군

하! 신께 맹세했고
가문의 명예를 걸었소!

그런데 내가
거짓을 말하다니?
그게 말이 될 소린가!

셀바토르 영식
아니, 내 딸에게
마법을 건 이 괴물아!

스페라도 후작!

지금 굉장히
위험한 발언을 했네.

그 말이 거짓이라면
마법사의 저택과
척을 지게 될 걸세.

그러게나 말이야.
저는 결백합니다, 황제 폐하!
제 발언에 조금이라도 거짓이 섞여 있다면 저는 벌을 받겠습니다!
그러니 결백을 증명하기 위해 제 딸아이의 몸을 검사하도록 허락해 주십시오!
흐음… 마법사들로 확인을 하는 건가?

…정말로
마법사의 저택과
척을 질 생각인가?

얼마나
멍청한 거야.

아닙니다,
루엔티 아돌 셀바토르는
마법사의 저택에서도
손에 꼽힐 정도로 큰
영향력을 끼치는 자!

마법사의 저택이 전부
그의 손아귀에 넘어갔을지도
모르는 일이지요!

뭐야!?

…아니면,
다른 믿는 구석이라도
있는 건가.

신력은
마력에 반발하지요.

그런고로, 고위 사제이신
데비엔 님께서 진실을
가려주실 겁니다!

저벅

저벅

고위 사제?
고위 사제다…
저렇게 젊은데?
하늘의 주인을
신의 비천한 종이 뵙습니다,
데비엔입니다.
인사는 되었으니
빠르게 진행하시오,
신의 종이여.
그럼 제가
어떤 분을 확인하면
되는 겁니까?

저
은발의 아이입니다,
사제님.

후작이 분명
무슨 수작을
해놨을 거야…!
시, 싫어요!
쉬이,
괜찮댠다.

덜
덜
소륵
실례하겠습니다,
어린 자매님.

화
악

파직
꽝!!
!
레슬리!

이런, 몸에 굉장히 강한 마력이 잔류하고 있군요…
그렇지 않고서야 이렇게 강한 반응을 보일 리가 없습니다.
웅성
웅성
이걸 보십시오! 제 딸에게 도대체 무슨 짓을 한 건지 물어보고 싶군요, 셀바토르 공작!
보십시오, 여러분! 여러분이 판단해 주시기 바랍니다!

부디 황제 폐하. 저 간악한 셀바토르 공작을…
아직 셀바토르 공작 쪽의 이야기를 들어보지 못했네.
지엄한 제국의 법으로 두 편의 이야기를 전부 들어본 후에 죄가 확정되니 후작은 입을 조심하도록!

휙
재판법에 따라 잠시 휴정합니다!

그리고
현 재판의 중심이 된
레슬리 스페라도 양은
현 상황에 따라 독방에서
쉬게 됩니다!
떨 떨
떨
너무 아파…!
어, 어째서…??

저런,
가엾게도.

끼이이익
쾅

4권에서 계속

초판 1쇄 인쇄 2022년 1월 14일
초판 1쇄 발행 2022년 2월 14일

웹툰 민작
원작 리아란
펴낸이 김정수, 강준규

책임편집 오희원, 김하늘, 김가영
마케팅지원 배진경, 임혜솔, 이영선, 장선영, 박준영
편집디자인 김은선, 김희경

펴낸 곳 ㈜로크미디어
출판등록 2003년 3월 24일
주소 서울시 마포구 성암로 330 DMC첨단산업센터 318호
전화번호 02-3273-5135
팩스번호 02-3273-5134
편집 070-7863-0323

홈페이지 https://blog.naver.com/rokmediabooks
이메일 rokmedia@empas.com
ⓒ민작, 리아란 All rights reserved.

ISBN 979-11-354-6892-6 07810
　　　979-11-354-6485-0 (SET)